人生を変えるパワーストーンの話

愛光堂の石ものがたり

Power Stone Story

目次＊愛光堂の石ものがたり

愛光堂の石ものがたり

第二章

石の特徴がひと目でわかる

愛光堂の天然石一覧

第三章
代表的な質問にお答えします
石にまつわるQ&A

この本を、いつも見守ってくれる父と母、
そして「愛光堂」を育ててくださったみなさまに、
感謝とともに捧げます。

上／兄妹の地元、那覇市にある波の上
ビーチと、海に迫り出す波の上宮。

第一章

幸せを求める人々と石をめぐる日々

愛光堂の石ものがたり

石をきっかけに幸せをつかんでいく人

新垣成康

序章にかえて

私が石の仕事をするようになったのは、いまから約9年前のことです。

当時は現在のような天然石のブームはありませんでしたが、それでも石との出合いを望む方々のために、今日にいたるまで数多くのお客様にブレスレットを作ってきました。

その間、石をきっかけに幸せをつかんだ人、自らを見つめ直して人生を変えるきっかけにした人、じつにさまざまなお客様がいらっしゃいました。

私たちとしては、どのお客様に対しても幸せを願って石を組んでいるのですが、石はこちらが意図したように働いてくれる場合もあれば、まったく違ったかたちで持ち主に働きかける場合もあります。

そして持ち主の意識や考え方、相性によっても石は千差万別の働き方をします。

そうした側面に触れるにつけ、日々、石というものの不可思議さを思わずにはおれません。

ですから私自身、石についてはまだ勉強中なのですが、現在のように石との出合いを人生に役立てたいと望む人々がたくさんいらっしゃる中、多くのお客様に対面してきた実績や経験から、少なからずお話しできることがあるのではないかと思い、それを一冊の本にまとめることにしました。

この本を手にとってくださった方々にとって、石との出合いが人生を豊かにしていくきっかけになるようにと願いを込めつつ、筆を進めることにします。

石で願いをかなえるコツ

私が妹・靖子と営む「愛光堂」では、お客様ひとりひとりに合わせたブレスレットをお作りしています。

その際、ほとんどのお客様はブレスレットに願いごとを託されます。

私の個人的な考えとしては、願いごとを託すにしても、石を持つことの意味を目に見える「効果」や「結果」のみで測るのは正直、どうかと思わないでもないのですが、それでも店を訪れるお客様の側からすれば、貴重なお金と時間を費やすわけですから、石に対して「効果」や「結果」を望むのは、当然といえば当然のことです。

なので私たちも、なんとかお客様のご期待に添えるよう日々、奮闘しているわけですが、ここで「石に託した願いをかなえたい」という人に、ひとつ私の経験から確実にお伝えできることがあります。

これは妹ともよく話すのですが、

「当たり前のことを当たり前に考えたうえで石を持つほうが、いい結果を招いている」

ということです。

「当たり前のことを当たり前に考える」とはどういうことかというと、

「石に荒唐無稽な奇跡など求めずに、ものごとの道理を踏まえたうえで石を持つ」ということです。

石は持ち主に向かって働きかける

たとえばですが、よく主婦の方から「金運を良くしたい」というご相談を受けます。けれど、ご主人が会社勤めで月々の収入が決まっている場合、いくら「金運」を望んでも限度があります。

現実的に確実な方法を考えれば、ご主人が昇進するか、会社を辞めて転職するか、事業を起こすかぐらいしか選択肢はありません。

ですから、このようなご相談を受けた場合、ご本人が望む方向性について、もう少し具体的にお話をうかがうことになります。

もしご主人の出世を望むのであれば、ご主人がもっとも良い状態で仕事に臨める家庭環境をつくるための石——たとえばご主人のケアに心を砕けるような石や、ご主人のやる気を鼓舞できるような存在になれる石を選びます。

そして、これは一番基本的なことですが、家計をにぎる主婦として、その人自身が浪費を抑えて蓄財を心掛けるようになれる石を組み入れます。

その方が、当たり前ですが宝くじで1億円を当てることを期待して石を組むよりは、よほど確実で現実的だからです。

恋愛にも同じことがいえます。

決まった相手との恋愛成就を願う場合、恋をかなえるには、相手から好意を持ってもらえるように努力するしかありません。でも恋愛は相手あってのことですから、自分の努力だけではどうしようもないことが、ままあります。相手が振り向いてくれないなら、たとえ未練があっても気持ちを整理して、相手への執着を断ち切り、新しい恋をさがすというふうに気持ちを切り換えたほうが、確実に幸せを手にすることができます。

石を持つ、持たないに関係なく、現実的にパートナーを得たいと望むならば、それしか方法はありません。

そんな当たり前の、ものごとの道理や原理原則をきちんと理解して、自分自身が新たな心境になって、幸せに向かっていこうという意志を持ったとき、石はその気持ちに共鳴して、望む方向へと後押ししてくれたり、流れをつくってくれるものだと感じています。

石を手に入れただけで、勝手に状況が動いて、幸福や成功が転がりこんでくるなんてことは、残念ながらありません。

たしかに恋愛の悩みを抱えて、思いつめたようすで店を訪れる女性を見ると、「なんとかしてあげたいな」と思うのが人情ですが、意中の相手を振り向かせることのできる魔法の石など存在しませんし、結局のところ、私たちもその人自身に働きかけるようにしかブレスレットを作っていないというのが実際のところです。

ですから、「石が何とかしてくれるはず」と依存する人、現実味のない奇跡を求める人には、「石を持たないほうがいいですね」と、オーダーをお断りするケースもあります。

幸せをつかむ一番の近道

私たちは、石がその人が持っている悩みであったり目標に対して、突破口を開くきっかけになってくれればという願いを込めてブレスレットを作っています。

思い詰めて煮詰まった思考回路に光を当てて、それまでの考えを整理して違う視点や発想が持てるよう、自分の道を切り開こうという努力や意志を応援して、望む方向に流れをつくりだしてくれるよう、石を選んで組み合わせています。

いずれにせよ、持つ人自身に向かって働きかけるようにしか作らないわけですが、それは周囲や状況を勝手に動かす魔法の石など存在しないという以前に、それが幸せをつかむ一番の近道だからです。

自分を幸せにできるのは、自分でしかありません。

その人自身の中にしか、幸せへの道筋は存在しません。

けれど、それが人が人たるゆえんとでもいうのでしょうか。つい不平や不満、怒り、執着から、思い込みや被害者意識を抱き、自分自身で思考や周囲の状況をどんどん狭め、ものごとを複雑にしていってしまいます。そして不安や恐れから、頭ではわかっていても決断したり行動に移せなくなってしまうという状況に陥りがちです。

こんなときに石は決断する勇気をくれたり、不安や痛みを癒したりと、さまざまなかたちで前進しようとする意志をサポートしてくれます。自分の内面に光を当てて、内なる問題に気づかせてくれたり、意識の変化をもたらしてくれる石の助けは、幸せに向かって足を踏み出す大きなきっかけとなります。

そうして、ちょっとした変化や気づきを得ることさえできれば、それにともなって周囲の状況も変化していきます。

結局のところ、それこそが幸せへの突破口であり、一番の近道といえるのではないでしょうか。

自分の変化が状況を変えていく

ここでちょっと可愛らしい石の話をしましょう。

石に興味のある人なら、一度は「恋愛の石といわれるローズクオーツを身につけたら、ほどなく彼ができた」というエピソードを聞いたことがあるのではないでしょうか。

ローズクオーツは、私も「彼が欲しい」といった無邪気な恋の願いごとによく使う石です。ふんわりとした優しい波動は、柔和な気持ちで人に接することができるように働きかけたり、女性らしさを引き立てたりしてくれます。この石を持つことで、大らかな気持ちで人と接することができたり、可愛らしい印象を与えることができたら、好感を抱いてくれる異性は以前より増えるでしょうし、そうなれば恋愛に発展する確率も高まります。

一見、石が幸運を運んでくれたエピソードのように思えますが、これもローズクオーツが単なる意識改革のきっかけになっただけで、石が何かをしたのではなく、自らが招き寄せた幸運といえるでしょう。

こんなふうに自分自身がちょっと変わるだけでも、それに応じて周囲の反応も変化していきますし、流れも変わっていきます。

同じように自ら望んでいれば、チャンスや縁というものは巡ってくるものですし、それをキャッチすることもできるでしょう。

自分の望みが具体的かつ現実的であり、つねにそれを意識している状態であれば、なおさらです。それがたとえどんなに小さなチャンスや縁であっても、きちんと受けとめ、生かすことができるでしょう。

結局は、幸せにつながる流れを生み出すのも自分自身だということを忘れないでください。

これは、石を持つ持たないにかかわりなくいえることです。

そんなことを理解して、自らの状況を後押ししてくれるようにと願いを込めたほうが、石もそれを応援してくれるということを、数多くのお客様と接してきた経験から感じています。

幸せをつかんだ女性～シンプル イズ ベスト

つい先日ですが、お客様から嬉しい報告がありました。

1年ほど前に「つき合っている彼と別れられない。いまの彼と一緒だったら幸せになれないことは、頭ではわかっているのだけれど」といった悩みで来店された女性でした。

そのときは「いまの状態じゃ幸せになれませんよね。だったら、やっぱり前に進んでいくしかないですね」とお話しして、執着を断ち切る石や、決断や勇気をうながす石を組み合わせてブレスレットを作りました。そのお客様が1年ぶりに店をおとずれて、私の顔を見るなり「なるようになってしまったんです！」とおっしゃいます。一瞬、「ひょっとして悪い方向にいってしまったのかな？」とヒヤリとしましたが、聞けば「新しい彼ができて、結婚することになりました」という話でした。

そして「早く子どもが欲しいので、子宝に恵まれますよう」という内容で、新たにブレスレットをオーダーしていかれましたが、こうしたご報告があるからこそ、私たちはこの仕事をやっていけているようなものです。

悩みの内容はさまざまですが、「幸せになりたい」という思いが、人を動かす原点ではないでしょうか。

幸せになるためにすべきことは何か。

できるだけシンプルに考えたほうが、ものごとはいい方向に進むようです。

〝開き直り〟も大切なこと

ここまで、石は持ち主に直接、働きかけるものだと書いてきましたが、だからといって、もともと持っている気質や性格的な弱さを、石でいきなり変えることはできません。

よくお客様の中には「心配性だから楽観的になれる石をください」という人がいま

す。対処療法的に、楽観的になれる方向へ導いてくれる石をお渡しすることもできますが、根が心配性でネガティブになりがちな人の場合、私なら、そのことを受け入れ、「それでもいいじゃん」という、むしろ〝開き直り〟を応援してくれるような石を組んでいきます。

自分自身の弱点を認めたうえでこそ、開けてくる発想もあります。

「自分はネガティブな発想に走りがちだから、精神の均衡を保つために、なるべくひとりの殻に閉じこもらないようにしよう」というのも発想ですし、「自分は弱いから、つらいときには素直に人に助けを求めよう」というのも発想です。

結局のところ、自分の弱点を認めたうえでの、こんな〝開き直り〟が、自分自身への肯定につながっていくのではないでしょうか。

それに人には経験で克服できる弱点と、経験を積んでも変えることができない弱点というものがある気がします。

素の自分を見つめること、認めることも大切なことです。

石には、人がおかれている状況の中で、複雑化してしまったり見失ってしまっている自分自身の原点に戻してくれるようなところがあります。

むしろ、原点に戻らなきゃいけないきっかけをつくってくれるとでもいうのでしょうか。

その原点に立ち返ったとき、結果的に石が何かをしてくれるというのではなく、流れとして望んでいるほうに流れていくんじゃないかなと、お客様を見ていて感じることがあります。

石の仕事をはじめた理由

新垣成康

宝石に魅せられて上京することに

私が石の仕事に携わるようになったきっかけは、現在、店で取り扱っているような天然石ではなく、宝石でした。

地元の高校を卒業後、何年かフリーターをし、その後、百貨店に勤めていたのですが、あるとき私の持ち場と同じフロアで宝石の催事が行われました。

ひやかし半分でなんとなく催事場に足を運び、そこに並ぶ宝石を目にしたとき、「綺麗だなぁ」と、単純にその輝きにひきつけられたのです。

その日からたびたび催事場に足を運んでいるうちに、「どうせ売るなら、こんな綺麗なものを売るほうが楽しそうだな」という気持ちが芽生え、その思いは日に日に強くなっていきました。

そこで催事に出店していた宝石店の人に相談したところ、すぐに話はまとまってその店で働くこととなり、とるものもとりあえず上京することになりました。

上京後は、催事で接客販売をしながら、「本格的にこの仕事をするなら、ぜひ学んでおいたほうがいい」という助言にしたがって、彫金や石の鑑別を教わる専門学校へ通うことになりましたが、自分に職人としてのセンスがないと気づくのにたいした時間はかかりませんでした。

そこで学校をやめて、今度はダイヤモンド専門店に転職し、心機一転、接客販売に専念することにしたのです。

宝石を介して見たもの

ところで、宝石業界では時折、思い出したように大規模な詐欺事件が起こります。大手宝石店の摘発報道が記憶に残っている人も多いと思いますが、そうした報道が流れるたび、業界内では起こるべくして起こった事件ととらえられている部分がありました。

宝石には、たしかに人の欲を刺激する何かを漂わせているところがあるからです。

私が宝石の販売に携わった時期は、バブルがはじけた後ではありましたが、まだまだ人間の欲が入り乱れるさまを宝石の輝きを介して目の当たりにし続けなければならないような時期でした。

多くのお客様に可愛がっていただく一方で、あの時期ならではの激しい人の盛衰をヒリヒリと肌身で感じさせられた部分もあります。

次第にそういうものを扱うのがつらくなってきたこともあり、結局は5年間勤めた店を辞めることにしました。

そして次の職のあてもないまま、しばらくは東京でアルバイトを続けていたのですが、時がたつにつれ、そんな生活になんの意味も見いだせなくなってきたので、とりあえず一度、沖縄に帰ることにしたのです。

結局、それが私の転機となりました。

天然石との出合い

「新垣君、水晶の時代が来るよ。水晶の店をやったらどうだ」

突然、知人からこんなことを言われたのは、何もせずに沖縄でのんびり過ごしていた時期のことでした。

これは沖縄という一種独特な土地柄のせいでしょうか。昔から周囲にはかならず3～4人、「見えない世界」を見たり感じたりする能力のある人々がいました。そんなことを口走った知人も、そのような感じの1人でした。

そのときは「わけがわからないけれど、おもしろいことをいってるな」くらいの気持ちで聞き流したのですが、いまになって思えば、その人物はみごとに現在のパワーストーンブームを言い当てていたことになります。

そして、この言葉に触れてから程なくして、偶然にも天然石の店に立ち寄る機会があったのですが、その店内で見た光景が、私を動かすきっかけになりました。

天然石を謳《うた》ってはいるものの、間違ってもクオリティーが高いとは言いかねるような、粗雑な石が並ぶ店内では、「脚が痛い」、「霊が騒いで眠れない」、「いい出会いが欲しい」といった悩みをもつ人々が、真剣に石を買い求めています。

そしてもっとも驚かされたのは、そういった人たちは石の品質には目もくれず、「自分の悩みや願いに対して効くかどうか」を基準にして石を選んでいることでした。

宝石の世界では、品質こそが価格設定の基準でした。ご存じのとおり、ダイヤモンドなら4C（カラット、カラー、クラリティー、カット）という品質基準が明確に定められている世界です。

それに対して、半貴石といわれる天然石の世界には、はっきりした品質基準がありません。

必要以上に加熱処理が施されていたり、合成であったり、本来は商品として通用しないほど極端に品質が低いもの、中には着色したガラス玉までが一律に天然石として売られているというありさまです。

もちろん、石に求めるものは人それぞれでしょう。

けれど、「真剣に石を求めている人たちに、こんなものを売っちゃいけないよ」というのが、私の率直な感想でした。

そして、店で繰り広げられている光景を見ているうちに、ふと「自分なら、もっときちんとした石で、違ったやり方でできるのではないか」という考えが頭の中をよぎりました。

当然、石については学校である程度学んでいましたし、以前勤めていた職場での経験もあります。そして石言葉というものがあるのも知っていましたし、鑑別についても多少の知識もあります。

私の中で、おぼろげながら、なにかがかたちになりそうな感触を得たのです。

自分のやり方で石を売る

そこで、沖縄市の嘉手納基地の近くに店を出すことを決意しました。

とはいっても、むろん最初からきちんとした店を構えるわけにはいかなかったので、ショッピングセンターの中の雑貨店の一角を借りるというかたちでスタートさせました。つまり〝店子の店子〟。しかも、とりあえず4週間だけ間借りするという期間限定でのスタートでした。

この店は、わずか1畳半ほどのスペースにショーケースを置いただけの、いかにも怪しげな雰囲気だったにもかかわらず、あっという間にお客様がつきました。

これはあとからわかったことですが、このあたりはユタ（沖縄に伝統的な霊能者・巫女《みこ》。沖縄の民俗、風習に深く根付き、霊的な障りがあると感じた人々はユタ、カミンチュといった霊能者たちに指導を仰ぐ）が多く住むエリアだったため、自らの霊能力を開いたり高めたりするために、石を買い求めにやってきたのでした。

そして期限の4週間を迎える頃には、一般のお客様もつくようになり、「今度はどこでやるの？」とたずねられることも多くなりました。

そうした要望に応えるかたちで、たびたび間借りしては出店していたのですが、すぐ近くに第三セクターのショッピングビルがあったので、その中のフリースペースに短期出店することにしました。

海外にいた妹の靖子を呼び戻し、店を手伝わせるようになったも、この頃からです。

その第三セクターに半年ほどいたあと、沖縄市のパークアベニューという繁華街に店舗が見つかったので移転し、路面店を構えることになりました。

「愛光堂」の屋号を掲げたのはこのときからです。

父が名づけた「愛光堂」という屋号

この「愛光堂」という店名の名付け親は父です。

路面店を構えるにあたって、私のネーミングセンスのなさに呆《あき》れた父が、「いいか、店の名前ってのは、そのまま店構えを表すものだから〝堂〟なり〝舗〟なりの字が入ってこそしかるべきなんだ」といって考えてくれたものです。

父は当初、私がこの仕事を続けることに反対していました。「店は靖子に任せて、まともな仕事に就きなさい」と、自らのつてで地元企業に就職の口を探してきたこともありました。そんな父が仕事に理解を示してくれたのも、兄妹が店で真剣に働く姿を見たからでしょう。次第にこの仕事について何か言うことはなくなり、時折店にも遊びに来てくれるようになりました。

英語が得意な父が、外国人のお客様の相手をしてくれているのは助かりましたし、なにやら嬉しそうにしゃべっている姿を見るのは、私としてもまんざらでもありませんでした。

東京へ移転する予感

パークアベニュー通りの店は33坪と広く、当初は店内を商品で埋めるだけの力もありませんでした。そこで苦肉の策として観葉植物をぎっしりと置いたのですが、それがケガの功名というのでしょうか、コンクリート打ちっぱなしの店内にグリーンが映え、お客様には癒しの空間として人気が出たのです。移転当初は毎日のように夜の11時を過ぎてもお客様が店内で雑談に花を咲かせ、思い思いの時間を楽しんでくださっていました。

また「石が背中を押してくれた」というお客様が口コミで店の名前を全国に広めてくださり、雑誌などの取材を受けるようになったのもこの時期のことです。

沖縄の店は順調でしたが、「いずれ東京に行くことになるんだろうな」という予感を、私も妹も抱いていていました。

これもまた「見える」友人の言葉がきっかけになったのかも知れません。

「東京には水晶を求めている人がいっぱいいいるぞ。東京でこういう店をやればいい」

あるときサーフショップを営む友人がフラリと店に立ち寄ったかと思うと、そんな言葉だけを残して去っていきました。

自由が丘に店を出す

私の中で「機が熟した」と感じた頃、上京して店舗を探すことにしました。場所はなじみがなかったものの、東京の知人が店を出すなら自由が丘がいいだろうと見当をつけてくれたので、とりあえず街を見て回ることにしました。現在、店が入っている「自由が丘ひかり街」を見つけたとき、「ここが空いているといいな」と感じ、近所の不動産屋に聞いてみたところ、いまは空きがないという返事でした。

後ろ髪を引かれるような気持ちで沖縄に戻り、東京の知人にその経緯を話しておいたところ、あるとき「ひかり街の中の店が閉店セールをしている」という連絡をくれました。急いで以前訪ねた不動産屋に電話したところ、「まだ表には出してないけれど、じきに空く予定です」という返事をもらい、希望どおりひかり街に入居できることになりました。

当初は沖縄の店を妹にまかせて、私が東京で働くつもりでいたのですが、すぐに東京での仕事が忙しくなってしまったので、結局、沖縄の店を畳むことにしました。そして今度は妹を東京に呼び寄せて、再び2人で店に立って仕事をしている…というわけです。

石への感覚を研ぎ澄ませる

新垣成康

自らの感覚だけが頼りのスタート

ショッピングセンターの一角からスタートし、愛光堂の看板を掲げるまで、わずか1年あまりでしたが、この間に石に対する感覚が研ぎ澄まされていったのだろうと、当時を振り返ってあらためて思います。

最初のころは、「これは恋愛の石っていわれてます」、「子宝だったらこれです」という具合に、石のいわれをお客様に説明しながら組んでいくという、ごくシンプルなやり方でしたが、そのうち当然のなりゆきとして疑問が湧いてきます。

たとえば、ひとくちに恋愛といっても、出会いが欲しいという人、相手を振り向かせたいという人、離れていく相手の心をつなぎ止めたいという人、道を外れた関係に苦しむ人――。

お客様の抱える内容は、じつに多岐にわたります。

そういうひとくくりにはできない心情や悩み、葛藤に対して、「これが恋愛の石です」と一様にローズクオーツを渡すことに、違和感を抱くのは当然のことです。

何かの参考になればと思い、さまざまな石の文献にもあたりましたが、当時はまともな石の解説書など存在しませんでした。まるで占いか何かのように石を取り上げている本が大部分で、個別の石の解説を読んでも「なぜあの石から、こんなことがいえるのか」と、どの記述に対しても違和感が増すばかりです。

そんななか、結局、頼りになるのは自分の感覚でしかありませんでした。

恋愛に対して過去に傷があるなら、それを取り除くためにインカローズやヒスイなど癒しの石を配し、自己中心的な性格がネックになっているならそれに気づかせるための水晶、軽い恋愛の悩みなら赤縞瑪瑙《あかしまめのう》を組み入れる…といった具合に、自分なりに試行錯誤して石を選んでいくうちに、確実にお客様から寄せられる反応が違ったものになっていく手応えを感じました。

多くを学んだ霊能者との出会い

そしてお客様と波長を合わせながら感じ取ろうとすること、自分ならではの石に対する感覚というもの――それらを研ぎ澄ませる一番大きな契機となったのは、やはりユタさんをはじめとする霊能者との出会いが大きかったと言わざるを得ません。

霊能者は「見えない世界」を見たり感じたりする能力の持ち主ですから、石にも当然、霊的なものを求めてやってきます。

そんな霊能者を相手にするということは、まさに真剣勝負を意味します。

相手の求めるもの――相手が見ている「見えない世界」のこと、相手自身の中にある人生や感性、気性といったもの、石に求めているもの、石それ自体が発しているもの――そんな、目には映ることのないものたちを「感じよう」、「感じ取ろう」と必死に波長を合わせていくうちに、次第に私の中のチャンネルが開く、というか一般的に言ってしまえば「狂っていった」のだと思います。

正直、霊能者の石の選び方は異様です。

「これは違う、そうそうそっちの石」と、まるで石あるいは目に見えない誰かと話しているかのように、完全に独自の霊的感性で石を選んでいきます。とはいえ霊能者にもそれぞれの専門があるように、霊能力があるからといって、石のすべてがわかるというわけではありません。

霊能者から「この石はどうか」と問われるたびに、すべての神経を集中させながら相手の波長を感じ取り、さらに石が発するものを感じ、その2つがどう結びついていくのかを感覚の中で探っていく——。そんなことを繰り返すうちに、いまの仕事の根幹をなすもの、つまり相手との波長の合わせ方、石に対する感覚、選び方などが身についていったのだと感じています。

石に救いを求める人々

それに加え、やはり当時を振り返ると、沖縄のお客様は深刻な悩みを抱えて、なんとかしてほしいという切実なケースばかりでした。

大人同士の陰湿ないじめや、人間関係の泥沼のようなトラブル。また生きる希望を失ってしまった人、霊的な障りで仏壇の前から動けなくなってしまった人など、最後の救いを求めるような気持ちで石を買い求めにくるケースがほとんどでした。

ごくまれに「これからも頑張っていきたいから」という前向きな理由で石をお求めになるお客様がいると、わけもなく嬉しくなってしまうようなありさまでした。

人情として、石を介して助けられるものなら助けたい。

そんな気持ちと石をめぐる疑問や湧き上がる探求心を抱えながら、自分なりに石と対峙《たいじ》する日々が続く中で、お客様からもさまざまな反応が返ってきました。

ユタさんであれば、「石をつけていたら、これまでは1人の神様しか降りてこなかったのに、たくさんの神様が降りてくるようになって仕事がはかどる」、「石のおかげで修行の次の段階にスムーズに進めた」という声もあれば、逆に「いろんな神様が降りてきて頭がおかしくなりそうだから、この石は返すわ」という人もいました。

一般のお客様でも、「死んだおじいちゃんが毎晩、夢枕に立つようになった」、「このブレスがないと眠れない」、「医者も首をかしげるくらい病気が良くなってしまった」と、良いことも悪いことも含め、それこそ枚挙に暇《いとま》がないくらい短期間にこうした反応が何百件と返ってくるようになっていきました。

そして、そうしたお客様の声――つまり私たち自身が石を選び、組み合わせたブレスレットが引き起こした〝結果〟の積み重ねは、自分なりの石への解釈を深めていくうえでの、まさに生きた参考となっていったのです。

霊能者の真贋《しんがん》

毎日がこんな調子ですから、不思議な出来事も日常茶飯事でした。

ある朝、店に着くと「沖縄市の愛光堂さんに行けとお告げがあった」と店の前で待っている霊能者がいます。「この色と形の石を買えとお告げがあった」というのですが、私に心当たりはありません。しかし何度も「そこに入ってるから開けてみろ」というので、仕方なくストックを開けてみると、霊能者がいうお告げの石が出てきたのです。それは妹が仕入れてきた直後の石で、私がまだ検品を済ませていなかったものでした。

とはいえ結局、その石は売りませんでした。

なぜなら霊能者が主張する石の価格が安すぎたからです。

むこうは「この値段で買えと神様が言った」と言い張るのですが、神様を盾にして要求してくる値段はあまりに非常識なものです。

私は霊能者に「じゃあ、家に帰ってもう一度、あなたの神様に聞いてみなさい。愛光堂は『そんな値段では石を譲ることはできない。常識で考えなさい』と言っています。どうしたらいいでしょうと聞いてみたらどうですか」と伝えて引き取ってもらいました。

沖縄には霊能者というだけで神聖視してしまい、どこか「霊能者の言葉には逆らえない」という空気が存在します。実際、「神様が言っているのだから言うことを聞け」という態度を取る霊能者も中にはいたのです。

あるとき、お客様が「申し訳ないことをした」と気まずそうに店にいらっしゃいました。何があったのか話を聞くと、私の組んだ石を「邪悪な念がこもっているから外しなさい。こちらで浄化しておく」と言われ霊能者に託したところ、別の場所でその石が高値で売られていたというのです。

自らの能力を笠に着て、非常識もまかり通ると勘違いしている霊能者は珍しくありません。

しかし、霊能者を数多く相手にする経験を積んできたおかげで、私なりに彼らの真贋を見極める目も養われました。

経験からいえば、霊能力があるということ自体に大抵嘘はありません。その能力には多少の差があるのでしょうが、むしろ最終的に問われるのは、その力を扱う人間の真贋だといっても差し支えないでしょう。

「見えない世界」の言葉の危うさ

力を扱う人間の真贋が問われるのは、なにも霊能者に限ったことではありませんが、こと霊能力に関しては、それが「見えない世界」という立証不可能な世界のことを扱うだけに、使い方を間違えるとより悪質な結果を招きます。

霊能者や新興宗教の教祖から「かつてソウルメイトだった」と言われ性的な関係を迫られたり、「前世では親子だった」と言われ足抜けできなくなってしまったりというケースに悩むお客様もたくさん見てきました。

「見えない世界」の言葉は、ときに人生を束縛する呪文のように作用してしまう場合もあります。

自分自身にはわからないことだけに、霊能者の言葉は深い影響を及ぼし、何げない一言にこだわり続け、悩み続けます。

それが精神的、肉体的に弱っているときなら、なおさらでしょう。

「見えない世界」があること自体は否定しません。

そうした「見えない世界」から届けられる言葉や知恵、守護や恩恵といったものが、現実の世界をより豊かなものにしていることも否定はしません。

私がこのような道を辿ることになったのも、「見えない世界」が見える知人や友人の、何げない一言がきっかけだったのですから。

ただ事実として、自らが持つ影響力を考えずに、ひたすら自分の力を誇示したり、他の霊能者と競ったり、脅かしたりという身勝手極まりない霊能者が多いという現実は、きちんと認識したほうがよいでしょう。

霊能者は、自分の人生を導いてくれる指導者でも人格者でもありません。

私自身は霊能者ではないので、「見えない世界」を見ることはありません。

ただ、石を介してお客様と相対し、波長を合わせようとすると、石を組むために必要な何かを〝感じる〟ことはあります。

しかし、それは霊能力というよりも、むしろお客様に必要な石をお渡しするための「職能」と呼ぶべきだろうと自分ではとらえています。

たしかに一時はそうした側面が評判を呼び、沖縄時代には半ば占いのようなかたちに陥ってしまったこともありましたし、私自身「見えない世界」のことをわかったような気になって驕《おご》り高ぶっていたこともありました。

しかし、いくつかの苦い経験を踏んでからは、〝絶対〟などということが有り得ない世界のことを、断言することはもちろん、不用意に口にすべきではないと思っていますし、その考えはこれからも変わることはありません。

＊

いまでも私や妹に対して「見えない世界」のことを示してくれるのではないかという期待を抱いて店を訪れるお客様もいらっしゃるようです。

なかには、ご自分の希望も何も語らないまま「私がどんな人間か、そちらで判断してブレスレットを作って」というお客様もいらっしゃいますが、そういった場合には、オーダーをお断りする場合がほとんどです。

たしかに私たちも「お客様の幸せを願って石を組む」という仕事の性質上、石を持つうえで自覚していただいたほうがいいと感じる内面的な部分や、健康上のこと、お客様の身辺で気になることがあれば、話の流れで〝感じた〟ことを口にせざるを得ないような場面が出てきてしまいます。

ただし、それは「石とのよりよい関係」を築いていただくための、ちょっとしたヒントや助言として、サラリと受け流していただくのが一番かと思います。

石という不可思議な存在

新垣成康

同じ石を持っても同じ幸運は起こらない

冒頭で私は、石はあくまでも持つ人自身に働きかけるものだと申し上げました。

これは私の経験上も、立場上も「石とはそういうものである」としか基本的には申し上げられません。

ただ、こうして石屋をしていますと、私の石に対する認識だけではくくれないような、不可思議な出来事に出合うことがあります。

＊

あるとき、「金運を高めたい」という軽い感覚でいらっしゃったお客様に、私はいつものごとく「お金が空から降ってくることはないですよ」という言葉を添えつつも、一応、「このお客様がお金とご縁がありますように」と願って石を選び、ブレスレットを作りました。

すると、ほどなくして件《くだん》のお客様が店にやってきて、私の耳元で「当たってしまったんですよ、宝くじが」とささやきます。「このブレスレットのおかげです。彼女には内緒にしておいてください」という一言をつけ加えて。

しかし「内緒に」という言葉も空しく、噂は瞬く間に広がってしまったようです。

店には同じものを作ってほしいという人々が押し寄せてきました。

とはいえ、こちらは宝くじを当てようと意図して作ったわけではありませんし、「同じものを作っても、宝くじは当たりませんよ」とご説明しました。

実際に石を持つことでそのようなことが起こる確率が高まるのであれば、私たちはいまごろ何度も宝くじに当選していることでしょう。日々、こんなにたくさんの石に囲まれながら仕事をしているわけですから。

それが答えであるにもかかわらず、人の心理とはおもしろいものです。

まるで「ここ掘れ、ワンワン」の御伽噺《おとぎばなし》のようです。

基本的に私たちは、経営者やマネージメントに携わる人以外には、貯蓄をうながすような石しかお作りしていません。

私たちの店では、たとえ同じ悩みや願いごとであっても、マニュアルで石を組むことはありません。持つ人の内面的性質や現在の状況など、その人から発している気のようなものを汲み取りながら石を選ぶので、意識せずとも違ってしまうのです。

「それでも」というお客様には、同じものを作ってお渡ししましたが、それを身につけた人の中から宝くじに当たったという話は、その後、聞くことはありませんでした。

単純な欲も受け止めてくれる

ちなみに、この「宝くじが当たった」というお客様に使った石の組み合わせは、いかにも香港、中国、台湾などの中華圏の人々が好みそうな組み合わせでした。

たしかに中華圏の人々は、〝招福開運〟〝金運〟という比較的「棚から牡丹餅《ぼたもち》」的な発想の幸運を求めて、気軽に翡翠《ひすい》やタイガーズアイ、ゴールドルチルといった強い石を身につけています。

そんなことを考えると、たしかに石はそういった、人間が持つ無邪気で単純な欲も、おおらかに受け止めてくれる面もあるのだろうと感じることもあります。

「思えばかなう」という言葉もあるくらいですから。

恋愛でも、お客様から「ブレスレットをつけた直後、意中の異性から誘われた」というご報告をいただくことがあります。

こちらとしては石に向かって特定の異性に対して働きかけるよう指示することもできませんし、良縁なら良縁としか作ってはいません。

にもかかわらず願いどおりの、あるいは宝くじのように願った以上の幸福が舞い込んだ場合には、「よほどご縁があったんですね」とか、「そういう巡り合わせだったんでしょうね」と、こちらも笑って受け止めるしか術《すべ》がありません。

病の癒しをめぐって

愛光堂では、現在、ブレスレットをお作りした約3割のお客様から手紙をいただいています。内容は、実際に身につけた後の経緯のご報告が中心となりますが、その中でもやはり多いのが、病気に関するお手紙です。

割合的に一番多いのは、子宝に恵まれたというおめでたい内容のものです。しかし、こと病気に関しては昔から不可思議なご報告を受けることがあります。

最近のところでは、「胸腺の血管に損傷があり手術するため、その成功を祈る石を身につけたら、手術直前の再検査の結果、血管の損傷がなくなっていたので手術の必要がなくなった」というご報告がありました。

病気に関しては、私たちも持ち主の石や色の好みより、なにより病への癒しを最優先に考えて石を組ませていただいているのですが、やはり持つ人や、それを見守る周囲の人々の思いに石が応えるのでしょうか。

先日も意識不明の状態に陥った男性のご家族から、回復を願うブレスレットのオーダーがあったのですが、その後、男性が主治医が驚くほど回復したとのことで、ご家族が「この石のおかげです」と、わざわざお礼を言いに足を運んでくださいました。

石が何をしたのかは定かではありません。そして当の男性は意識がなかったのですから、石の存在すら認識していなかったでしょう。ですからご家族には「現実に命を救ったのは病院であり、主治医の尽力ですよ」と申し上げておきました。

とはいえ、回復を願って石をお作りした身としては、ご家族の喜びに触れたことを心から嬉しく思った出来事でした。

過去にはお客様の主治医を名乗る医師から、「うちの患者さんがおたくの石で病気が治ったといっている。実際に治っているんだが、おたくはあの患者さんになにをどうしたかについて話が聞きたい」と店に電話が掛かってきたこともありました。

自らの患者さんが「石で治った」といっているのが、よほど気に入らなかったのか、横柄な口ぶりでしたので、こちらとしても結局、同じような態度でしか応対することができなかったのですが…。

いずれにせよ、「石で病気が治る」などとは、恥ずかしくて口にできませんし、実際、そう考える人がいたとしたら、私ですら「おかしなことを言う人だ」と思うでしょう。

ただ「病は気から」という言葉があるように、私たちは病気を治す目的ではなく、病気になった人の内面を癒し、サポートすることに石を用いているのです。

石は人にどんな影響を与えるのか

いままでの話は、もちろん「石を持てばこうなる」というものではありませんし、なにより石を選んで組み合わせた私自身が不可思議と感じている出来事ばかりです。結局のところ、こういった現象を引き起こす石というものは、人に対してどのような影響を及ぼしているのか――。

これについては、いままでも、さまざまな人に意見を求められてきたのですが、実際のところ、なんとお答えすればいいものかと、窮するところがあります。

ただあえて言うならば、個人的には水が大きく関係しているのではないかという気がしています。

水は良い波動の中にあると構造がよくなり、悪い波動の中にあると結晶がいびつになるといいます。結局、人の体の約7割は水ですから、石を身につけることで、その波動によって体内の水が活性化されて、細胞ばかりではなく、生命体に宿る気であったり、たとえば電磁場やエーテル体とよばれるような層に働きかけることで、無意識と呼ばれる層にも影響を与えるのではないかというのが私の勝手な推論です。そうした水の活性化によって影響を受けた無意識層が、顕在意識に影響を及ぼしたり、あるいは無意識のまま人の精神活動や行動に影響を与えているのではないでしょうか。

病などの例を見ると、水の活性化は単純に体に良い影響を及ぼすだろうと思います し、店を訪れるお客様の中には、石をお求めになる際、「悩みがないとダメですか?」という人もけっこういます。そうした人は「水晶や石を身につけると爽快感がある」、「気分がスッキリする」という理由でブレスレットをお求めになるのですが、そんな声を耳にするたびに、「結局は活性化されたり、無意識層に働きかけるのかな」という印象を受けています。

もちろん、そこには無意識ばかりではなく、願いや目標をブレスレットという目に見える形にして身につけることでその気持ちを忘れないようにしたり、達成へのビジョンを描かせたりという心理的効果もあるでしょう。

こうした「意識する力」と、「無意識に働きかける力」の両面からの働きかけで、「効果」と呼ぶものにつながっているのではないかと思います。

いずれにしても憶測の域を出ない話ですが、結局のところ、宇宙が地球を生み、地球が鉱物を生んだのですから、石という鉱物にはまだ人知が及ばない部分が秘められていても当然でしょう。

それに石も自然そのものですから、とりわけ霊的な意味を求めなくても、単純に「自然からいい影響を受けている」と考えてもいいんじゃないかという気がします。

沖縄に何百年と伝わる石

これは人間的資質というよりも、私が単純に男だからという理由なのかも知れませんが、「見えない」世界の存在と有意性を認めているにもかかわらず、物事はできる限りスッキリと理性的にとらえたいという思いが根強くあるようです。

石についても可能な限りスッキリと語りおおせることができたらと思う一方で、そんな試みは空しいという事実も、すでにわかってはいるのです。

ある石との出合いで、それを肌身で感じさせられました。

その石とは沖縄時代に、店に「修復してほしい」と持ち込まれた石のことです。それは琉球王朝以前から続く沖縄の祭祀《さいし》の家系に何百年もの間、受け継がれてきたもので、天に祈りを捧げる祭事のために使われてきた石でした。

その祭祀の家系の末裔《まつえい》に当たる人物が、石を博物館に寄贈するにあたり、紐《ひも》の修復を私たちに依頼してきたのでした。

時の重みを感じさせる木箱を開けると、その石はいました。

紐は確かに損傷が激しくボロボロでしたが、これほどまでに生々しさを備えた存在感あふれる石を、私は現在に至るまで見たことがありません。

その鬼気迫る存在は、確かに沖縄に生きた数多《あまた》の人々の願いを受け止め、天に届け続けた石であることの証しでした。

結局は、あまりにも畏《おそ》れ多く、まだまだ力不足ということで修復はお断りしたのですが、石は生きているのだということを、まざまざと見せつけられた出来事でした。

余談ですが、その末裔いわく「この歴史ある念珠を欲しいがために、いたるところにはびこる霊能者が〝神からの啓示〟などと理由をつけて『私がその念珠の継承者です』、『その念珠に呼ばれました』と、こちらを迷わすようなスピリチュアルメッセージを伝えてくるので、気が狂いそうです」とのことでした。

確かに私たちの経験上、下級の霊能者は人間性を疑いたくなるようなことをしばしば口にします。とくに「神の声が聞こえる」とあからさまに言う場合は要注意です。

いずれにせよ、そのような歴史ある石を継承し、堅固に守り続けたのは賢明なことだったと思います。

石はよって命を吹き込まれるもの

新垣成康

生々しさが宿る石

一度、人が持った石、人の思いが加わった石というのは、ショーケースに並んだ石とはまったく異なる生々しさを宿しています。

持ち主のいない石から真っ先に感じることは、個々の石それぞれが放つ純粋な波動や存在感、輝きといったものですが、ゴム交換のためにお客様が持参された石は、一見して明らかにそれとは違っています。まず持ち主を感じるというか、重みがあり人と同調しながら存在している石の息遣いを感じます。

ブレスレットに触れると、「これはあまり身につけていないな」とか、「大切にしているな」と感じ取ることができます。こちらがそれを伝えると、ほぼ予想どおりの答え――「最近、あまりつけてなかったんです」とか、「朝、忘れたら、遅刻してでも取りに帰るほど大切にしています」という言葉が返ってきます。

石はただ「綺麗だから」とか「高価だから」という理由で身につけている限りは、ただの石です。私が宝石を扱っていた頃も、お客様が単純にアクセサリーとして身につけている石から、特別な何かを感じることはありませんでした。

しかし、いったんそこに人の思いが加わると、石はまるで命を吹き込まれたかのようにその様相を変え、生々しい存在感を放ちはじめるのです。

「石は生きている」と感じるのは、まさにそういうときです。

そして石は持ち主と同調し、持ち主そのものになっていくのです。

石は人の念を記憶するのか

「石は人の念を記憶するか?」と問われれば、私は「するでしょうね」とお答えします。

私たち自身、お客様の石に触れ、石と波長を合わせようと意識を研ぎ澄ませると、「疲れがひどいな」とか「幸せそうだな」と、いろんなことを感じる気がします。

実際にその人自身と対面して感じるより、石を介したほうが、よりその人の状態が伝わってくるような気がします。

むろん、これは私たちが石屋だからでしょうが。

ここで、かつて石を介して、私自身が驚かされてしまった出来事がありますので、お話ししましょう。

沖縄にいたころ、よく店に足を運んでくださった霊能者が、私が身につけていた水晶を見て、「貸してごらん」と言います。何げなく手渡したところ、霊能者は水晶を触りながら、「ついこの間、あの場所に行ったでしょ」と、驚くべきことを言いはじめます。さらに続けて、私のそのときの行動を明確に言い表し、最後には私がその水晶を持った理由を言い当ててきたのです。その言葉は、まさに図星でした。

果たしてその霊能者と石との間でどのようなコミュニケーションがあったのか――そのときは理解不可能でしたが、長くそのような力の持ち主と接したり、石に囲まれていると、いまではなんとなくニュアンスでわかってくるような気がします。

石は気に同調していくもの

また、こんな話もありました。

あるときお客様から、「旅先で水晶球を買ってから、おかしな夢を見るようになった」と相談を持ちかけられたことがありました。そのお客様いわく、毎晩、崖から飛び降りる女性の夢を見るようになったとのことでした。

おそらくは、以前の石の持ち主か、それに関係する人の思いが宿ってしまったのでしょうか――。

私は「その水晶球を持っているのが気持ち悪いと感じるなら、購入した店に返すのが一番だと思いますよ」とアドバイスし、そのお客様はそれにしたがって、店に石を返したそうです。以後、その夢は見なくなったとのご報告を受けました。

私がそのお客様に「購入した店に返す」と申し上げたのには、わけがあります。

おそらく問題の水晶球は、購入した店に飾られているぶんには、何の障りも生じなかったのでしょうから、ずっと商品として置かれていたことになります。

そうであるなら、問題の起きなかった環境に石を戻すのが一番無難な対処法だからです。

お客様の中には、かつてこんな経験をされた人もいました。

以前、家の庭石に使おうと、山から大きな石を勝手に運び出して、ご自宅の庭に置いていたところ、原因不明の病にかかり、一時は意識不明の状態に陥ってしまったそうです。結局、家族が石を山に返したら、意識が戻ったという話でしたが、そのお客様は、店にいらっしゃるたび、「石は本当に大切にしなきゃあね」といいながらブレスレットをとても大事そうに扱っていらっしゃいました。

その場所から動かしてはいけない石というのもあるのです。

件《くだん》の水晶も、旅先に立ち寄ったその店こそが、その水晶にとっての縁ある場所だったのかもしれません。

また自然の中にある石——地面にあって、その土地の発する気や磁力と同調しながら存在し続けてきた石——は、むやみに持ち帰らないほうがいいでしょう。

とくに周囲に霊木と称してもおかしくないような樹齢を経た木がある場合はやめてください。木も生きた気を発しながら存在し、石もそれに同調しながら存在し続けてきたはずですから。

一度、人が持った石はその様相を変え、命が宿ったと感じさせるように、人ばかりでなく、自然や置かれた環境からも石は気を受け取っているのだと感じます。

おそらく石は、身近な気に同調しながら自らに命を吹き込んでいくものなのでしょう。

大事なものは懐にしまっておく

店をはじめた当初、修理に持ち込まれたブレスレットをカウンターに置いたまま場を離れた一瞬の隙に、そのブレスレットを別のお客様が、「これ、きれいね」と手に取ったことがありました。こちらは「それは売り物ではないんですよ」と断って手元に戻し、修理に取り掛かったのですが、修理の終わったブレスレットを取りに来た持ち主が、ブレスレットを手に取った瞬間――その人も霊能者だったのですが――「この石に誰か触ったでしょ」と、触った人物の雰囲気までもを正確に言い当てていくのです。そして、持ち主は自分の石を見知らぬ誰かに触られてしまったことを、とても不快に感じておられました。

あの一瞬の出来事で、そこまで石から読み取ってしまう敏感なお客様も中にはいるのだと、まざまざと思い知らされた一件でした。

それ以来、愛光堂では、万が一のことを考え、最終的にお客様がお求めになるまでは、石がいろんな人の手に触れることのないよう、すべての石をショーケースに入れて管理するようになったのです。

私がしばしば、ブレスレットをお求めになったお客様に「あまり人に触らせないようにしてください」というのは、そんな苦い経験を経たからです。

とはいえ実際のところ、世の中には、石からそこまで正確に物事を読み取ってしまう人たちがたくさんいるわけではありませんし、ちょっと触られただけで、一瞬にして他人の念が石にこもってしまうということもありませんので、人に触れることに対して必要以上にナーバスになることはないかと思います。

ただ私としては、「思いを込めた大事なものは、自分の懐にしまっておけ」くらいのことを言いたい感覚なのです。

浄化は感謝の気持ちを表すもの

よくお客様から「石をどう扱えばいいのですか」とか、「石と良い関係を築くにはどうしたらいいですか」と質問されることがあります。

私は、ここまで書き記してきたような経験から、まずは「石を大切にしてください」とお答えするようにしています。

とにかく「愛《め》でてあげてください」「大切に扱ってあげてください」と。

身につけること、大切にすること、感謝の気持ちを捧げること――それが石との関係を築く、一番の方法です。

石とのつき合いをはじめたばかりの人は、石を「パワーストーン」という特別に神秘的な魔法の石ととらえているせいか、石とつき合ううえでの枝葉の部分にとらわれがちな場合が往々にしてあるようです。

たとえば、そのひとつに浄化があげられます。

愛光堂では、基本的につぎのような浄化法をおすすめしています。

「観葉植物など自然に触れさせてあげてください」

これは石はそもそも自然界のものですから、植物という自然界の気を発しているものに触れさせるという考えから来ているものです。やはり、植物と石がともにある姿は、私の目から見ても一番しっくりとなじむものです。植物に触れていると石も喜んでいるような気がしますし、植物のほうも新芽がどんどん出てきたり、多少環境が悪くても元気に育ったりします。

ただし、これは石が持ち主と同調していくためだと思うのですが、植物と石の波長が噛み合わないときには見事に枯れてしまいます。これは良い悪いではなく、ただ波長が合わなかっただけのことです。枯れても心配しないでください。

あとは月に1～2回、「乾燥した粗塩の上に1晩おいてください」という方法と、「流水ですすいであげてください」という方法をおすすめしています。

塩は日本に伝わる伝統〝お清め〟として、流水は物質的な汚れを含めてすすぐという意味でおすすめしています。

ただし浄化は、「これをしなければ石の効果がなくなる」という〝効かせる〟ための方法論ではありません。石に対する感謝の気持ちを表す行為です。

ですから、浄化においては〝石に感謝を捧げる〟という根本さえ忘れなければいいのです。

私たちは店の人間として、すこしでも長く品質を保つため、石の傷みが少ない方法をおすすめしていますが、ご自分の判断で「これは石が喜んでくれそう。石が元気になりそう」という気持ちで浄化をしていただくぶんには、どのような方法をとられても構わないと思っています。

実際にお客様の中には、毎朝、犬の散歩に出かける際に、庭の木に掛けて朝日に当てているという人や、自然の中の渓流や湧き水を見つけるたびに――たとえブレスレットの中に水に弱い石があると知っていても――しばらく流れの中に浸しておくというお客様もいます。ユニークなところでは、激しい雷が鳴っているときに、雷の閃光《せんこう》に当ててみたというお客様もいらっしゃいました。

こんなお客様がいらっしゃると、私もつい口を合わせて「満月は生き物が活性化するっていいますから月光浴はいいですよね。それに大安や満潮が重なったりしたときは最高だと思いますよ」などという話をしてしまいます。

普通にこんな話をすると、「石って、そこまでしなくちゃいけないの？」と7割くらいのお客様にはひかれてしまうので、普段は口にしませんが。

長く石を持つということ

ですから、決められた方法で浄化をしなかったから石の力が失われるなどということはありませんし、それと同様に、長く持ったからといって石の力がなくなることもありません。

石が退色しても、ひび割れができても同じことです。

基本的に宝飾用や観賞用の石のほとんどには、「天然」と称するに差し支えない範囲で人為的加工が施されています。また個々の石には鉱物独自の性質もありますから、汗の塩分や水分、あるいは皮脂、身につけていることで起こる振動や衝撃といった要因で、退色や変色が起こったり、本来あったキズや内部のひび割れが目立ってきたりします。

しかし、だからといって石の力が失われることはありません。

よく年季が入ったため欠けが生じたり、退色した石を「取り替えたほうがいいでしょうか」と持ち込まれるお客様がいらっしゃいます。しかし私の感覚からすると、むしろ石自体はよい状態に感じられることがほとんどです。そんなときは「このまま持ってたほうがいいと思います」と正直にお伝えするのですが、そうお伝えすると、持ち主も「そうですか。見た目がボロボロなので迷っていたのですが、じつは私もそう思っていたのです」とほっとした表情を浮かべて、石を再び身につけて満足げに帰っていかれます。

そして、よく亡き方の形見としてお持ちの石を見せていただくことがあるのですが、人に受け継がれ、大切に扱われている石からは、非常にいい波動を感じます。

石の力に期限はありません。むしろ長くつき合っていけばいくほど、石も「その人自身の石」となっていくものだと感じています。

石は持ち主によって命を吹き込まれ、持ち主に同調し、持ち主の支えになっていくものです。

そして持ち主にとっての〝お守り〟というべき存在になっていくものです。

ですからどうか、一度、願いを託したり、心を通わせた石は、最後まで大切に扱っていただきたいというのが、私の願いでもあります。

願いを込めて石を持つ／お守りとして石を持つ

新垣成康

「輪っか」という形を結んだ石

通常、私たちが店でお客様にお作りしているもの——とくに願いごとを託される場合にお作りするものは、主にブレスレットです。これは腕念珠と申し上げても構わないのですが。

なぜ願いごとを託す場合にはブレスレットなのか。

これは私の感覚でしかないのですが、まず人が石を持つ場合、形状は「輪っか」であるのが良いのではないかと感じています。

石には原石やタンブル（原石を研磨したもの）、クラスターといったものもありますし、身につけるものに関しても、指輪やネックレス、ペンダント、携帯ストラップなど、形も持ち方もさまざまなものがあります。

愛光堂でもこれらの品を取り扱っていますし、それぞれにはそれぞれの魅力があります。第一、石であることには変わりありません。

けれど、やはり人がいつも身につけるもの、とくに何かしらの願いや思いを込めるような場合には、「輪っか」にしたほうが石がよく働いてくれるような気がするのです。

古来より、人が神仏に祈りを捧げるときに使われてきた数珠、念珠も「輪っか」ですし、石がこの形を結ぶこと自体に、何らかの働きがあるのだろうと私個人は感じています。

そして、中央に穴を開けたビーズという形も、縄文時代から人々が石を身につけるために施してきた加工なだけあって、人に最もよくなじむ形状だと思います。

原石やタンブル、クラスターといった石の波動は、どこか一方的で単調なものに感じられます。物質としても大きなものですし、このような石は人に向くというよりも、空間の浄化や癒しに向いているのではないでしょうか。

それに対してビーズは、どこか人に対して融通を利かせてくれるようなところがあります。

たとえば基本的に〝努力を促す〟性質の石であったとしても、持ち主が疲れているときには「いまは煽《あお》るのをやめよう」、「癒してあげよう」と、石のほうから人に寄り添ってくれるというのでしょうか。

そしてビーズの石を「輪っか」の状態にすると、原石やタンブルなどの単体の石とは明らかに様相が異なってきます。

「人とともにある」という明確な目的を宿した石というのでしょうか。

人を受け入れ、人に寄り添い、人のために働こうとする存在に変わっています。

ですから人が持つ場合――とくに願いや思いを込めたり、〝お守り〟として持つ場合には、たとえば水晶であっても、タンブルの状態でひとつの石を持っているよりは、水晶だけでブレスレットを作って持っていたほうがいいのではないかと感じています。

ここまで石の形について申し上げてきましたが、中には「原石のほうが人の手が加わっていないので、よりパワーを感じる」という人や、タンブルがお好きな人、それぞれの主張や好みがあります。

ですので、この件に関しては、ただ私が単一の状態にある石に対して、あまり魅力を感じられないというだけのことなのかも知れませんけれど——。

石選びにマニュアルは存在しない

ブレスレットを作る際、石の力を生かすには、お客様の願いや悩みに耳を傾けなければなりません。そのうえで、ひとりひとりの内面や佇《たたず》まい、気の状態など、ご本人から発しているものに触れながら、その人の何にどう働きかける石を選べばよいかを見極めていきます。

ですから現在、愛光堂ではブレスレットのオーダーをお受けする際は、まず予約をお取りいただき、対面してお話をうかがう時間を確保しています。遠方のお客様の場合は、電話や書面で内容をおうかがいする形態をとっています。

それにしても、「石選びにマニュアルはない」というのが私の持論です。

何を基準に石を選ぶのかといえば、この仕事に携わるようになってから得た経験と、自らの感覚がすべてです。

この〝石に対する感覚〟というものは、人間が誰一人として同じではないように、おそらく十人十色といっても差し支えないでしょう。

実際、私と妹でも石の選び方は異なりますし、同じお客様の同じような内容に対して石を組んでも、決して同じものにはならないでしょう。また、私は好んで使うけれど妹は手を出さない石もありますし、その逆もあります。

結局は、作る人間の中にのみ存在する〝石に対する感覚〟と、それに基づいたうえでの、組み合わせた石の全体のバランスを見る目――そうした作り手の総合的な感覚のみを頼りにするしかない世界なのだろうと思います。

感覚のみの世界を探って

石を選び、石を組む作業は、じつに感覚のみの世界と申し上げましたが、この作業の最中、私たちが何を考えているかというと、ほぼ無意識の状態で作業している場合がほとんどです。お客様の波長とお話の内容、そして石の性質、波動を見合わせながら、感覚のみを頼りに手探りで作業するようなありさまです。

出来上がったブレスレットを見て、「どうしてこういう石の組み合わせにしたのですか」と問われることも多いのですが、完成したものを改めて見たときに自分自身で「ああ、こういう組み方をしたんだな」と気づくこともしばしばです。

石を選び、組み合わせていく過程の中で、身につける人に気に入っていただけるよう、デザイン的なバランスを考えたり、ブレスレット全体の波動のバランスを見ていくのですが、これがまたじつに厄介な作業です。

1つ1つの石の性質を見たときにはそうでもないのに、実際に組み合わせてみると、思わず「うっ」と唸《うな》ってしまうような、持ち主を妙に煽ってしまいそうな部分が出てきてしまい、慌てて石を組み直すこともあります。また、「可愛くしてください」というオーダーに対して、なかなか可愛く仕上げることができなくて手をこまねいてしまうような場合もあります。

ブレスレットを完成させる際、愛光堂ではかならず左右対称の組み合わせにしていますし、見た目的にもバランスを取るようにしていますので、一見、そんなに難しい作業なのかと感じる人も多いかも知れません。

しかし、こればかりは何年続けても、手早く済ませるとか要領よく仕上げる…ということとは無縁の作業だといえるでしょう。

気に入って身につけてもらうこと

ブレスレットをオーダーされるお客様に事前にお聞きしたいことの1つに「石の好み」があります。

本音をいえば、やはり私たちが選んだ石をそのまま身につけていただきたいという思いもあるのですが、ブレスレットはつねに目に見える場所に身につけるものですし、結局はお客様に気に入っていただいたうえで、いつも身につけていただくのが一番かと思っています。

沖縄では「結果」と「効果」を重視するケースがほとんどでしたので、デザインのことなど気にせずに使いたい石をどんどん使っていましたが、東京では、デザインを重視されるお客様がほとんどです。

東京に来てから、最初に「デザインが気に入らない」というご指摘を受けたときには、正直、戸惑いもありましたが、いまでは気に入って身につけていただくことが、持つ人にとっても石にとっても一番大切なことだと考えていますので、東京に来てからは使う石の傾向もずいぶん変わってきました。

とはいえ、あまりお客様の好みばかりを優先しすぎると、「これ以上、石を変えてしまったら全体的なバランスが取れない」という事態も起こってきますので、そのあたりではいつも葛藤が生じます。お客様のためとはいえ、どこまで独断でやってしまっていいのか、やはりそれは傲慢《ごうまん》にすぎるのか、と。

ただひとつ言えることは、ブレスレットが完成してしまってからお客様の好みに合わせていくとなると、やはりそうした事態に陥りやすいので、はっきりとした好みや組み入れる石についての希望がある場合は、事前にお伝えいただけると一番いい流れでブレスレットをお作りできるかと思います。

石と人、石と石の相性

石と人には相性があります。それは単に見た目や好みの問題ではなく、もともとその人に備わっている内面性や、気質や気性、波長といったものが関係しています。そして持ち主の置かれている状況――たとえば人生の岐路である、闘病中である――などといったものも関係してきます。

そして石のほうにも、誰に対しても等しく働きかける石もあれば、個性が強く、明らかに持つ人を選ぶ石もあります。

この、人が発する気のようなものと石全体の波動が、目的に沿ってきちんとはまるように見届けるのが、つまりは私の仕事なのです。

当然、石にも個性がある以上、石と石の間にも相性があるといえますが、そのあたりはいろいろと調整が可能です。

「この波動の石にこの石を組み合わせるとぶつかり合ってしまうだろう」と感じるときには、石の大小を調節したり、緩衝材として水晶やブルーカルセドニーといった他の石の波動をまとめ上げる性格を持つ石を使って、全体のバランスを取ることもあります。

ただし、ブレスレットに使用する石の種類はかならず10種類以内に収めるようにしています。そのくらいまでに収めないと全体の波動が散漫になってしまうと感じるからです。

個々の石がきちんと働き、なおかつ組み上がったときに全体のバランスが良いというのが、ブレスレットを完成させる際に、最も気を配るポイントです。

身につけることで起こる不調

そういう作業を経て、お客様にお渡ししているブレスレットではあるのですが、中には石を持ってから「逆に運気が落ちてしまった」、「悪いことばかり起きる」、「体調不良が続く」と言う人もいらっしゃいます。

こうしたケースには、さまざまな原因が考えられます。

まずひとつには、願いごとを託したブレスレットの場合、単純に持ち主に同調して良い波動を与えながら現状を見守る、〝お守り〟として作るブレスレットとは違い、従来の流れから次の流れにシフトさせていくような石の働きが生じます。

その〝流れを変える〟という働き――それまでになかったものをプラスしていくという面で、石との間に波動的な軋轢《あつれき》が生じている可能性があります。

そして やはり心理的な要素――石への期待が大きければ大きいほど、拒絶反応、気分的な落ち込みなどが出てくる——という側面も考えられます。

次に考えられるのは、経験上、身につける人の現状の思考、思い込みや固定概念が強固な場合——本人は「こうなりたい」と願っているにもかかわらず、現状の思考がそれに追いついていっていない場合に、「相性が合わない」、「違和感がある」という感覚を抱くお客様が多いという印象を受けています。

こうした場合のいずれも、石と持ち主の相性が本当に合っていないというケースは実際には少ないようです。店で相談される際にも、こちらが「大丈夫ですよ」とお伝えすると、その後、そういった現象が自然に収まっていくケースがほとんどです。

ですからお客様には、「人同士でもスムーズに意思疎通できるまでには時間がかかりますから、石と人との間も波長に合わせるのに時間がかかるものです」と説明するようにしています。

ただし、物事には——こと石に関しては——ことごとく例外があるように、中にはやはり「ここの石を持って帰ってからいいことがない」と石を返しにくるお客様もいらっしゃいます。

持ち主が「合わない」という感覚を拭い去れない場合、実際の不調が長く続く場合、私のほうでも納得せざるを得ないような場合は、こちらで石を処理させていただくようなケースも、稀にですがあります。

たとえばローズクオーツは、やさしく癖のない波動を持つ代表格のような存在ですが、それでも東京に来てから1人だけ、「眠れないし、なにかわからないけれど落ち着かない」というお客様もいらっしゃいました。

こういったことを考えると、私のほうでも、より研鑽を積んでいかなければならないと痛感しますし、やはり石にはまだまだ計り知れない側面があるのだと改めて感じさせられます。

ただ、いずれにしても石を持つことで不調が起こるケースは、願いごとを託した場合に起こりやすい現象であって、〝お守り〟として石を持つ場合にはあまり見受けられないことです。

そう考えると、逆に「石は持ち主が願いを託すことで動くものだ」ということを示す現象であるともいえるのでしょう。

石の〝いいとこ取り〟は難しい

それだけ石が人に対して働きかけをするということを考えた際、感じることは「石の〝いいとこ取り〟は難しい」ということです。

これは霊能者やスピリチュアル系に携わる人に多いのですが、オニクスなどの黒い石を「邪気をはね除《の》けてくれる」とつねに身につけている人がいます。

しかし、それは私からすると感心できる持ち方ではありません。

確かに悪いものから身を守ってくれているのかもしれませんが、その反面、オニクスには陰の性質があるので、「自分の殻に閉じこもっていく」という傾向が生じることは否めません。差し迫ったトラブルや災難を避けるために一時的に持つのは構いませんが、ずっと持ち続けるのは果たして持ち主にとっていいことなのか、という疑問が生じます。

つまり、極端に「効果」や「結果」ばかりに目を向けて石を選ぶと、このようなマイナス面も生まれます。

愛光堂ではこのような点を考慮して、病気や霊障、一時的なトラブルの回避といった場合を除き、「効果」や「結果」ばかりを求めて、個性の強い石をどんどん組み入れるということは、まずありません。

基本的には持ち主の健康状態をベースに、本来的に持ち主の波長に合った石、そして持ち主の本来の資質を伸ばしていけるような石の中から、願いに応じて使用する石を決めるようにしています。

ただ、強い決意や意志を持った願いの場合、多少、覚悟したうえで身につけていただいたほうが良い石を組み入れることもあります。

サファイアは、覚悟をもって身につけたほうが良い石のひとつです。

宝石としても扱われるサファイアは、自らの迷いや執着を断ち切るよう働きかける石です。そして決めたことに対しての前進力を与える石です。石の働きとしても、持ち主に対して迷いなく一方的に働きかける性質を備えています。

いま自分の中に秘めている決意は本物なのか、心の底から自分の葛藤や執着を断ち切って前に進むことを望んでいるのか、執着しているものは本当に手放しても構わないものなのか――少しでも迷いがある場合には、持たないほうがいい石だと思います。

「効果」や「結果」ばかりを重視して石を選ぶことには、それに応じた反動が生じるという事実も否めません。

多少、石とのつき合いも深まり、その「効果」や「結果」に味をしめた人は、「より強い石を」、「より個性的な石を」と考えるケースも少なくありません。

けれど私からすれば、そうした考え方に対しては、「石の〝いいとこ取り〟ばかりは望めませんよ」と申し上げるしかないのです。

石をお守りとして持つということ

さて先ほどから私は、〝お守り〟として石を持つことに触れてきました。

この〝お守り〟として石を持つとはどういうことかといいますと、単純に、自分を守護してくれる存在として石を大切に持つ…ということです。

神社に参拝する際に、「願いをかなえてください」と手を合わせるか、「今年も1年、見守ってください」と手を合わせるかの違い、とたとえるとわかりやすいでしょうか。

実際に、「とくに願いはないけれど、お守りとして持ちたいので作ってください」というお客さまも少なくありませんし、私個人としても、石と人とのつき合いは、最終的にはそこに落ち着いていくのが自然なのではないかと思っています。

石屋をしていると、石がどんどん必要なくなっていきます。

当初は私も水晶を身につけたりもしていましたが、いまではお守りとして持つだけで、身につけることはしていません。

ただ、店で1日に十数人というお客様とお会いして石を組み…という日々を送る中で、店にいる間は平気だったのに、店を出た途端にひどく疲れを感じることがあります。そうしたときは、私自身、少なからず石の力を借りながら仕事をしているのだと身をもって感じます。

石を「結果」や「効果」のみで測らなくても、たとえプラスと感じる現象が起こらなくても、あらゆる側面で災いから身を守り、自分自身をサポートしてくれる存在として大切にする、というつき合い方もあります。

石はさまざまな形で人に恩恵を与えてくれる存在です。

そして人生というものが理屈や理論ではどうにもならない出来事に日々、満ちあふれているように——そしてそれこそが人生の醍醐味であるように、自らの人生に、いまだ人知では計り知ることのできない石という物質をとり入れ、つき合っていくのも、日々を豊かに彩っていく、いわば楽しみのひとつといえるのかもしれません。

興味のない人に無理におすすめしようとは思いませんが、それでも「石を持っていると、何かしらいいことがありますよ」と言ってみたくなるのは、やはりそんな石がもたらしてくれる恩恵や豊かさというものを、折にふれ感じながら日々を送っているからでしょう。

石という名の自然、沖縄という私の原点

新垣靖子

人生を変えた1本の電話

あるとき、海外にいた私のもとに、兄から1本の電話がありました。その電話の内容は「水晶を扱う仕事をはじめたから手伝ってほしい」というものでした。

水晶――?

説明を聞いてもあまり意味がわからず、正直なところ、思い浮かぶのはせいぜい「占い師さんが扱う大きな水晶玉を販売するの?」ということぐらい。

当時は石に関しては無知同然でしたし、兄が一体何をしているのかまったく想像がつきませんでした。

その後、とにかく兄が何をしているのか、まずは見てみようと思い立ち、兄が店を構えているという場所を黙って訪れてみました。

そのときの光景はいまでも鮮明に覚えています。

ショッピングセンターの中の店先を間借りして、1畳半ほどのスペースにショーケースを1つだけ置き、幟《のぼり》を立て、露天商のように石を並べて立つ兄。

それは声をかけることすら躊躇《ちゅうちょ》してしまうほど奇妙な光景でしたし、兄が何をしているのかまったく理解できませんでした。もう、いまとなっては笑い話なのですが、私はなんだか恥ずかしくなって、つい、その場を立ち去ってしまったのです。

でも、そんな私がなぜ兄からの誘いを断らず、後日、海外から引き上げて、一緒に仕事をはじめることになったのか。

いま振り返っても不思議な気がします。

興味のない世界ではありますが…

私は幼いころからお守りが好きで、母が買ってくれた観音様のお守りをいつも大切に首から下げていました。子供ながらに、お守りがないと不安に駆られてしまった感覚を、いまでも覚えています。

多分、少しばかり多感な子供だった私を心配して、母はお守りを与えたのだと思います。

事実、私は物心ついたころには、不思議なものを見たり感じたりする面が多少あったような気がします。ただ沖縄という土地柄のせいか、学校のクラスには「見えない世界」を感じる人たちがかならず2〜3人はいたので、「見えない世界」をあまり特別なものには感じていませんでした。

学生時代には友人たちと恋愛をめぐって興味半分で占いに行くことも何度かありましたが、占い師の人に「あなたは占い師になるための勉強をしてみたら」と誘われることもたびたびでした。でも、そんな世界に興味がなかった私は、いつも冗談半分で聞き流していました。

そんな私が兄に誘われるままに、右も左もわからないまま飛び込んだ石の世界。

それは、かなり一筋縄ではいかない世界でした。

勘違いの私

当時を振り返れば、私は比較的、すんなりとこの仕事になじんでいったほうだとは思うのですが、やはり最初は、深刻な悩みを抱えて店を訪れるお客様に、私ができることを必死に模索する日々でした。

そして石と真正面から向き合い、石にのめり込んでいった頃——それは店を手伝いはじめたばかりの頃でしたが——いまでは考えられないほど、たくさんの石を身につけていた時期がありました。

そのときのことを自分なりに振り返ってみると、「石の力で自分は強くなっている」と無意識のうちに力を誇示しようとしていた私がいたのだと思います。

必死になって石と格闘する毎日の中で「靖子さんのブレスレットのおかげで救われました」と言ってくださるお客様が増えていき、そんな状況の中、恥ずかしながら、自分にはさも特別な力があるかのように勘違いしてしまった時期がありました。

性格上、物事に必要以上にのめりこんでしまったり、背負い込んでしまったりする部分があるので、「お客様を助けなきゃいけない」という義務感やプレッシャーが、石にのめりこんでいく気持ちに拍車をかけていたのかもしれません。

でも結局のところ、「自分が誰かを助けてあげることができる」なんて考え方自体が〝驕《おご》り〟であり、私たちにできることは「お客様の幸せを願って、石を選ぶこと」であって、それ以上はできない――。

そんな事実にやっと気づいたときから、私が身につける石は、1つの水晶のブレスレットとネックレスだけになっていました。

石の仕入れ～品質へのこだわり

店に立っていると、「愛光堂の石は綺麗ですね」とお客様にお褒めいただくことがあります。これは石の仕入れを担っている私にとって、とても嬉しい言葉です。

「何か特別な浄化をしているのですか」と尋ねられることもありますが、ことさら特別な浄化を行っているわけではありません。

ただ仕入れに、相当気を使っているのは確かです。

そもそも天然石は品質基準があいまいなので、〝品質にこだわる〟こと自体、結構難しいことなのですが、それでも確かなものをお客様にご紹介したいという考えから、かなりこだわって石を仕入れているのは事実です。

天然石の世界は、仕入れ先においても、その石が着色なのか天然色なのか、どのような処理を加えたかについての説明があいまいなケースが多々ありますし、石の名前や人工石を天然と偽るなどというケースも珍しくはない世界です。

ですから当初は偽物をつかまされたことも少なくありません。

鑑別に出してみたら天然と偽った人工石と判明し、泣く泣く処分したことも一度や二度ではありません。

そのおかげで石を見る目が鍛えられてきたのも事実ですが、正直、私もまだまだ未熟者なので、いまでも仕入れの際は緊張の連続です。

仕入れの現場では、経験で培ったカンがものをいいます。「これは」と感じる石を見つけたら、テリ、ツヤ、色、クラック（自然にできる内側のひび割れ）やインクルージョン（内包物）の入り方、ピンホール（小さな穴）や傷の有無、ビーズの穴がきれいに開いているかなどを細かくチェックして、納得がいくクオリティーの石を仕入れます。

そして仕入れた石を鑑別に回すと同時に、さらに1石1石、自分自身の目で検品し、無事チェックを通過した石を店頭に並べるようにしています。

ただ、これが天然石の一筋縄ではいかないところなのですが、高品質、高価格のものでありさえすれば、いい働きをするかといったら必ずしもそうではないのです。

ある意味、品質以上に大切なのは、それぞれの石が醸しだしている雰囲気や波動なのだといえるのかもしれません。

でも仕入れ先で「これはすごい」と感じるような石は、やはりというべきか、品質はもちろんのこと、お値段も素晴らしく高価な場合が多いので、そこがいつも悩みの種になってしまいます。

愛光堂の姿勢

ありがたいことに現在、愛光堂を支持してくださるお客様がたくさんいらっしゃることもあり、すべての石のオーダーに関しては、毎月、月の初めに設けている予約日に電話で予約をお取りいただくという制度を採用しています。

そのため、オーダーを希望されている方々には、「予約の電話がつながらない」など、大変なご迷惑をおかけしてしまっている――というのが実情です。

しかしオーダーの内容をきちんと把握し、お客様ひとりひとりに合った石をお渡しするのには、どうしても一定の時間を確保する必要があるので、予約制はある意味、やむをえないことなのです。

すべてのお客様に石をお作りしたい気持ちがあっても、私たちの時間は限られていますし、まして仕事の性格上、ほかの人に石を組むことをお願いする…というわけにもいきません。

ただ、わざわざ遠方から足を運んでくださったお客様に対しても、「予約がないとオーダーはお受けできないんです」とお断りする際の心苦しさは、以前にはなかったものです。

お客様に満足していただこうと頑張ってきた結果、こうした事態を生み出していることに、ある種のジレンマを感じないわけではありません。

そんなとき、兄はこんなことを言います。

「自分たちなりに努力して誠意を尽くしてやってるんだから、そのやり方でやっていけばいい。その結果、お客様に気に入らないって言われて誰も来なくなったら、そのときはやめればいい」

その言葉はほんの少しですが、私の気持ちを楽にさせてくれます。

母は、この仕事をはじめてから、「正直にやりなさい。正直にさえやっていれば人はかならずついてきてくれるし、わかってくれるから」という言葉を繰り返し言い聞かせてくれましたし、その言葉を胸に石と向き合ってきました。

愛光堂では石の代金しかお客様からいただいていません。

ですから基本は「天然石の受注販売している」という商売のかたちにすぎません。

それでも、いま私たちがやっていることを、いかがわしい目で見る人がいたとしても、それは仕方がないということもわかっています。

そうであるなら、なおのこと、母の言葉のとおり、きちんと正直に、決して人をあざむいたりすることなく、誠意を持って、ひとりひとりのお客様と向かい合っていくしかないのです。

現在のような状況がこの先、ずっと続くことなど有り得ないことですし、いつかは昔のように、店に立ち寄ってくださったお客様のお話をおうかがいしながら、石を組む…という、かつての愛光堂に戻っていくと思います。

けれど、現状ではそれはできないことです。

「正直に、できるかぎりのことをする」

この愛光堂の姿勢は、昔もいまも、そしてこれからも、ずっと変わることはないでしょう。

沖縄の精神文化

店に立つと、「石は綺麗だな」という驚きを、いまでも日々抱きます。

こんな美しいものを自然が生み出したこと自体が奇跡のようですし、それぞれに違う色、透明感、模様は、神の技が宿っていると思わざるを得ないような神秘をたたえています。

石はまさに自然そのものです。

結局、「人が石を持つ」ということは自然に触れることと同じことなのでしょう。

日々の生活の中で見失ってしまいがちな、自分の中のバランスを取り戻すために、人は石を持とうとする部分もあるのだと思います。

そして石が自然であることを考えると、自然が人間にさまざまな恩恵をもたらしてくれる反面、いまなお神秘に満ちた畏《おそ》れ多い存在であるように、石もまた、そうした森羅万象の一部であり、森羅万象そのものなのだと感じます。

自然を畏れ多いものと感じ、森羅万象に祈りを捧げる――。

これは沖縄に生まれ育った私の中に徹底して染み込んでいる感覚です。

幼いころから沖縄という独自の文化によって培われてきた、土着的な〝霊〟〝魂〟、そして〝人は森羅万象に守られ生かされている〟という世界観は、今日盛んにいわれるような「スピリチュアル」という横文字的な世界観とはまったく趣が異なるものの、私たちの根幹を成しているものです。

私たちが生まれ育った沖縄には「医者半分、ユタ半分」という言葉があるとおり、幼い頃から、ケガをすれば親に手を引かれてユタさんの門をくぐる…という土地柄です。合理主義では片付けられない、目には見えなくとも私たちの生活をより深い部分で支え、見守るものがある――。そうしたものへの畏《い》怖《ふ》畏《い》敬《けい》の念に彩られているのが、沖縄の土着的な精神文化であるといえるのでしょう。

森羅万象が宿る石

沖縄では魂のことを「マブヤー」と呼びます。人には3つ、ないしは7つの「マブヤー」があるといわれ、人は驚いたり強い衝撃に遭うと「マブヤー」を落としてしまうと考えられています。落としてしまうと気が抜けたり体調不良に見舞われたりするので、ユタさんやお年寄りに頼んで、魂を落とした場所に戻って、魂を拾い上げる「マブヤー汲み」という儀式を行います。

そして年中を通して、自然や環境に対する感謝をささげる習慣が根付いています。たとえば、多くの家庭のかまどのそばには神棚があって、火の神様「ヒヌカン」を祀《まつ》っています。この「ヒヌカン」は万物を〝通す〟力を備えた、大変力のある神様とみなされ、家庭の幸せを守ってくれると信じられており、とくに旧暦の1日と15日には、お線香をあげて手を合わせ、感謝を捧げます。

そして旧暦の12月24日は「御願解き《うがんぶとぅ》」といい、火の神様がこの1年間、各家庭の中で起こったことを天にご報告しに行く日とされているので、この日が近くなると喧嘩《けんか》や悪いことはしてはいけない、行いを正さないといけない、とよく言われたものです。
24日になると神棚や台所を掃除し、お米を7回洗ってお供えしたり、7回お線香の火がつきないように灯し続けたりなど、地域によって多少の差はあるかとは思いますが、火の神様にこの1年間のことを感謝し、天にお送りします。年が明けると4日には火の神様が天からお戻りになるので、お赤飯などをお供えしてお線香を灯し、「火《ひ》の《ぬ》神迎《かんむか》え」をして新しい1年を見守っていただくのです。

さきほどの「マブヤー汲み」では魂に見立てた石を使用しますし、「ヒヌカン」に関しても地域によってはかまどをかたどった3つの石をご神体として拝んでいます。また「ビジュル」（一般的には海から上がった石や土中からとび出した石を霊石として祀る場合が多い。おもに子安・子宝祈願などで参拝する）の神様と呼ばれている霊石が沖縄にはいくつかあり、大事にされています。

つまり石には魂や霊、神様が宿ると信じられているのです。

でも、これはなにも沖縄に限ったことではなく、日本全国には石をご神体としてお祀りしている神社が数多くありますし、お地蔵様なども石で作られています。そしてお墓にも石を使うことを考えれば、太古から日本人は石に対してそのような感覚や信仰を持っていたのでしょう。

このような石を仕事として扱うのは、やはり日々、大変な緊張が伴います。

そして、石という自然をいったんお預かりしている私たちは、「無事、行くべき人のところへ石を届けることができますように」と、日々、祈るような気持ちで仕事をしています。

畏怖畏敬の念をもって祈りを捧げる

現在、店の神棚には、店のすぐそばにある神社で愛光堂にとっての氏神様にあたる、自由が丘 熊野神社をお祀りしています。

愛光堂の1日は、朝、祈りを込めて神棚に手を合わせることではじまり、最後のお客様を見送った後には、感謝の気持ちを込めて神棚に手を合わせることで終わっていきます。

海外へ仕入れに行く前にも熊野神社に出向いて、「いい石を仕入れることができますように」とお参りしてから出かけるようにしていますし、毎月、1日と15日のお参りは欠かさないようにしています。沖縄には〝屋敷の拝み〟といって旧暦の2月、8月、12月に土地の神様に感謝する習慣がありますが、私にとっては熊野神社に出向くのも同じことで、その土地で仕事をさせていただいている感謝の気持ちから手を合わせています。

沖縄に帰ったときには首里や波の上（那覇市）にある5カ所のお寺（それぞれのお寺には干支《えと》別に観音様が祀られており、首里十二カ所と呼ばれて人々に崇《あが》められています。ちなみに首里観音堂：子丑寅辰巳午、安国寺：酉、だるま寺：卯戌亥、盛光寺：未申、波の上護国寺：十二支すべて）へお参りに行きますし、沖縄市に店を構えていたころは、毎年、「拝所《うがんじゅ》」や水の神様を祀っている場所を回って、「ここで商売させてくれてありがとうございます」と、ずっとお参りしてきました。

この水の神様というのは昔、その地域の集落の貴重な水場、井戸や湧き水として利用されてきた場所のことです。

人は水がなければ生きていけません。

生まれたときは〝産湯〟、死ぬときは〝死に水〟というように、水は人の原点であり、水にはじまり水に終わると考えるため、たとえ時代の流れで水が枯れてしまっていても、「拝所《うがんじゅ》」として――水に対する感謝や日々の生活のさまざまな出来事に対し感謝を捧げる場所として――いまも大切にされているのです。

こうした土着的な精神文化の中で育ってきた私にとっては、「見えない世界」を含む森羅万象は畏れ多いものであり、蔑《ないがし》ろにしてはならず、かといって興味本位で触れてはいけない恐ろしいものだという感覚が染み込んでいます。

石という、まさに自然そのものを仕事にしている以上、感謝の気持ちや畏怖畏敬の念を忘れてはいけないと、最近、よりいっそう感じるようになっています。

10年目を迎えるにあたって

新垣成康

成熟しつつある石への認識

石の仕事をはじめた9年前は、お客様から常に「これは効くの？」と問われ、石の効力のみを求められていましたが、最近は石に対する認識もずいぶんと変わってきたように感じます。

「石は、まるで自分の精神のあり方を映し出す鏡のようなものですね」

つい最近も、石についてこんなふうに表現されたお客様がいらっしゃいました。

自分自身と向き合う、日々の中で見失いがちな本来の自分を取り戻していく――こんな自分の精神世界を辿り、自分自身の人生を構築していくきっかけとなるような、成熟した石文化が今後は根付いていくのだろうという予感がしています。

その一方で、「スピリチュアル」と呼ばれるものへの興味の高まりのせいでしょうか。「霊力を開きたい」、「覚醒したい」という理由で石を買い求めるお客様もいらっしゃいます。

そうした場合は、私は「あなたは開きませんよ」と正直に申し上げます。

私も人を見る仕事ですので、ある程度、開く人かそうでない人かは、経験上、わかるものです。

霊力は特殊能力です。

そもそも持っているものが開くのであって、最初から持っていないものは残念ですが開きません。

ただ「苔の一念、岩をも通す」というのでしょうか。興味本位で開こうとするうちに、おかしなものに触れてしまうことも中にはあります。

「見えない世界」には高位のものもあれば下級なものもあります。崇高なものもあれば禍々《まがまが》しく下賤なものもあります。

昔、「どうしても」と請われて、霊力を開くための石をお譲りしたことがあります。

その後、その人がどうなったかと知人に尋ねたところ、精神的な理由で長い病院生活を余儀なくされているとのことでした。

興味本位で「見えない世界」に触れようとする行為は危険です。

すべての物事には順序があります。

わけのわからない存在のお告げに従ったり、崇《あが》めるより先に、まずは自らのルーツである両親や祖先を大切にし、この国がはぐくんできた自然信仰、神社仏閣といった豊かな精神文化を尊ぶことが賢明な態度だと私は思っています。

そして精神世界は自らを求道する一手段ととらえ、現実の努力を怠らないことは、この世に身体を持って生を受け、有限を生きる者のあるべき姿かと思います。

新たな石の世界を求めて

私もこの仕事をはじめてから、そろそろ10年を迎えようとしています。

いままでも何度も壁に突き当たり、そのたびに「石の何たるか」を求めようと、自分なりに見えない道を模索してきました。

ここまで書き記したことは、いままで私が石と向かい合う日々の中で経験したこと、経験の中からわかったことにすぎません。

石は、何度も申し上げてきたとおり、私にとってまだまだ不可思議な存在です。この仕事を「天職」と私は考えていますし、これからもこの仕事を続けていくつもりです。

なので、この本を書き上げたことをひとつの節目に、また自分なりの「石浸り」の日々に潜り込んでいこうかと考えています。

どのような職業にあっても同じことですが、やはりひとつのことを続けていると、かならずどこかで頭打ちになり、それまでの認識や方法論を刷新しなければならない時期がやってきます。

そろそろ10年を迎えるにあたり、また自分の中での研鑽を必要とする時期がやって来たことを感じています。

いつか、「石浸り」の日々から何かをつかみ取り、そこから抜け出したときには、愛光堂の店主として、お客様のより深く成熟した石に対する認識や石に求める期待といったものに応えられるような存在になっていたいと思っていますし、そのときには、またこうして皆さんに石について、新たにお話しできることもあるかもしれないと思っています。

第二章

石の特徴がひと目でわかる
愛光堂の天然石一覧

思いをめぐらせることで開ける石とのつき合い方や可能性

天然石を扱うようになってから現在に至るまで、実感するのは「石に対する感覚は千差万別で、マニュアル化できるものではない」ということです。日々、石と向き合う中で、自分たちなりの個々の石に対する見解は持っていますが、それでも、それがすべての人に当てはまり、こちらが願ったように働いてくれるかというと、決してそうではありません。また石との相性や、持つ人の意識や考え方によっても働き方は違ってきます。ただ、現在、これだけ天然石に対する人々の関心が高まり、もっと石を理解したいと望む人々がいらっしゃるなかで、石との良い関係性を築く一助になればと思い、私たちなりの見解をまとめてみました。

こうして改めて一覧にすることで、日々、「なんとなく」というレベルで感じていたものが、頭の中で整理されていくのは、やはり新鮮な体験でした。みなさんも改めて石を見たり、触ったり、感じたりしながら、「この石は、自分の気持ちにどう働きかけてくれたのか」「石の力を借りながら、どんな自分になっていきたいか」と、自らの内面を見つめなおしてみると、新たな石とのつき合い方や、人生を変えるきっかけが生まれてくるかもしれません。

ページの見方

1. 石の特徴

この欄では、愛光堂として、お客様に説明している石の働きをまとめています。これは、いままでの経験、実績、そして石に関する文献を参考に、私たちふたりに共通している石に対する見解をまとめたものです。

2. COMMENTS

ここでは、それぞれの石に対する印象や雑感などを記しています。ご自分で石を選ぶときなどの参考にしていただければと思います。

3. 波動の特徴

個性の強さ

石には誰にでも働きかけてくれる石と、持つ人を選ぶ石があります。

♥は持つ人を選ばず、誰にでも働きかけてくれる汎用性の高い石です。

♥♥は持っても差し支えないけれど、働くか働かないかは持つ人次第。もしくは若干クセがあって人を選ぶかも知れないという石です。

♥♥♥は個性が強く、明らかに持つ人を選ぶ石です。

波動の性質

石の持つ波動にも違いがあります。それは強弱というより、むしろ性質のようなものです。ここでは包み込むような母性的な波動、懐の深さや温かみを感じる波動は「**女性的**」。反対にストレートな波動や、一方的な働きかけをする波動の石は「**男性的**」という言葉で表現しました。また女性的な波動のものは女性に、男性的な波動の石は男性に使うことも多いので参考にしてみてください。

4. 身体の癒し

店には病気や体調の改善を願う方々がたくさんいらっしゃいますし、愛光堂のブレスレットは、基本的にオーダーする人の健康状態を含めて作製しています。ここでは経験をもとに、石が癒しとして働く諸症状や部位について記しました。

※P.108〜188の表記については、愛光堂の石の働き、効力を保証、確約するものではありません。
※掲載の石の名称・識別は鑑別結果に基づくものです。

海や空を思わせるリラクセーションの石

アクアマリン

aquamarine

藍玉●らんぎょく／緑柱石●りょくちゅうせき

石の特徴

海や空を連想させるこの石は自由を象徴します。束縛を退けて固定観念を崩し、何事にもとらわれない柔軟な心を鍛えてくれます。自らを愛し、受け入れるように働きかけ、その気持ちが自分の原動力になるようサポートしてくれるので、人に惑わされない強さと寛大な心が培われます。オーバーワークの人、苦手な相手とのコミュニケーションや人づき合いで気疲れしている人を癒して、周囲や世の中に対して平和で穏やかな気持ちになれるよう導いてくれます。

海や水に携わる人、ダイエットのサポート、縁結び、愛する人との絆、結婚、家庭円満、不眠解消、短気な人、アレルギー体質の改善に。

COMMENTS

発想の柔軟性を高めて、頭をほぐしてくれる石です。ダイエットの精神的なサポートとして使用したところ、なかには10～20kgレベルの減量に成功した人もいました。心身が疲れている人、働きすぎの人の神経を癒すために使うことが多い石です。

波動の特徴

個性の強さ ❤♡♡

波動の性質

女性的　　男性的

中性的な波動の石です。いかにも「リラックス」「ほぐし」「リセット」という言葉が似合うやわらかさが特徴です。

身体の癒し

肝臓・胃

のど・婦人科系

膵臓

ベリルグループの石たち

アクアマリンはベリルと呼ばれるグループに属しています。
ベリルの代表的な石にはエメラルドがありますが、ここではビーズとして取り扱っている石を紹介します。

モルガナイト morganite

やさしさや思いやり、愛情を表す石です。恐怖心や不安感を取り除き、心に安心感やゆとりを与えてくれます。

ヘリオドール heliodor

怒りや不安などからたえず続くストレスを緩和します。また、心に余裕をもたらして自信を与え、後回しにしている考えを行動に移す心境を作り出します。

アクアマリンの原石とブレスレット。アクアマリンには透明〜半透明のものがあり、ガラスのような光沢があります。

ほかの石の力を引き出す「名脇役」

アゲート

agate

瑪瑙●めのう

アゲートとしてくくられる石は、じつに多岐にわたります。ここではアゲートの中でもよく知られている石を中心に紹介します。

ブルーレースアゲート blue lace agate

●●石の特徴

焦燥感や怒り、恐れなどの感情をなだめ、心を安らぎで満たします。どんな出来事が起こってもパニック状態に陥らず、真正面から受け止められる勇気と強さを与えてくれます。コミュニケーション能力を高めてくれるので人づき合いがよくなり、人間・交友関係を豊かにしてくれます。「人から悪く思われたくない」というおびえやマイナス思考を取り除き、明るいプラス思考に転換させ、自分らしさを素直に表現できるようになります。

●●COMMENTS

あるがままの自分を受け入れて、素直にさせてくれる石です。新しい人間関係に不安を抱いている人や、ごくまれに閉所恐怖症の人にも使います。

波動の特徴

個性の強さ ❤♡♡

波動の性質

女性的　男性的

ローズクオーツと似た波動を持つ癒しの石です。ホッとして肩の荷が下りるような、母性的なやさしさを感じさせます。

身体の癒し

自律神経・のど
リンパ節・関節
骨・脾臓・膵臓

ボツワナアゲート botswana agate

●●石の特徴

傷ついた心や孤独感を癒し、困難を乗り越える強い心と自信を養います。家族や恋人、友人との絆や愛を深めるばかりでなく、考えすぎて物事を複雑にしてしまうときは、行動をうながし問題解決に目を向けさせてくれます。

●●COMMENTS

ブルーレースアゲートと似ています。傷心を癒して、持ち主に自信と勇気を与えてくれる石です。

波動の特徴

個性の強さ ❤♡♡

波動の性質

女性的　男性的

心の傷を包み込むように癒してくれる穏やかさと、悩むより問題解決に目を向けさせる力強さの両方を持ち合わせています。

身体の癒し

肺
皮膚

上のオレンジと黒い縞の石がボツワナアゲート。下の水色の石がブルーレースアゲート。レースのように繊細で明瞭な縞模様があるものが良質とされます。

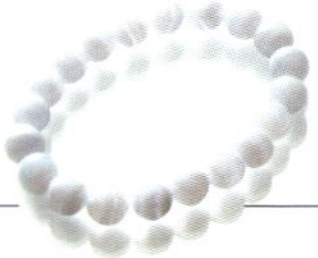

チベットアゲート tibet agate

石の特徴

自分の内外から生じる邪悪な力やマイナスの波動を寄せつけず、病気や事故などさまざまなトラブルから身を守ってくれます。また「天眼石」の和名のとおり、万物を見通す眼としても働き、精神性を向上させてくれます。魔除け。交通安全。強い浄霊力。第六感のバランスの調整。原因不明の病気にも。

COMMENTS

この石のように眼《まなこ》のような模様を持つものは、昔から魔除けとして使われることが多かったようです。基本的には人を選ぶので、気軽に持つような石ではありません。私たちも、おもに霊障で悩んでいる人や、怖い夢を見てうなされてしまうような場合のプロテクトとして使っています。

波動の特徴

個性の強さ ❤❤❤

波動の性質

女性的　　男性的

どこか生々しさを感じさせる石です。波動は女性的で決して強くはないのですが、クセがあり、確実に人を選びます。

身体の癒し

目・大腸・小腸
胆・胃・膀胱
心臓・肝臓・脾臓
肺・腎臓

石の縞目模様がまるで目玉のように見える石です。

上がオニクス。和名は「黒瑪瑙」といいます。右はサードオニクス。和名は「赤縞瑪瑙」です。

オニクス onyx

●●石の特徴

邪念や危険から身を守ってくれます。考え方を悲観的なものから楽観的なものへと転換させてくれるよう働きかけてくれます。心身のバランスを良い状態に保ちます。また、運動能力を刺激して向上させる力もあります。忍耐力の養成、魔除け、考えすぎの人にも。

●●COMMENTS

基本的には魔除けの石ですが、何かを成し遂げたい、心理的に立ち直れない場合にも使います。

波動の特徴

個性の強さ ♥♥♡

波動の性質

女性的　男性的

心理的なマイナスを取り除く石です。強烈なクセはありませんが、陰の性質が強く、持つ人によっては合わないケースも出てきます。

身体の癒し

耳・鼻
のど

サードオニクス sardonyx

●●石の特徴

恋愛、家庭、仕事における幸福な人間関係を築き、人と人との心の絆を深めてくれます。思いを伝えることが難しいときに、内に秘めた気持ちを表現するのを助けてくれるでしょう。
団結力、子宝、勇気、人と話すのがおっくうになるときにも。

●●COMMENTS

コミュニケーションを深めたいときに。良好な人間関係を築くための後押しをしてくれる石です。

波動の特徴

個性の強さ ♥♡♡

波動の性質

女性的　男性的

コミュニケーションの石らしく、かわいらしさのある石です。独特の明るさ、軽やかさで人と人を結びつけます。

身体の癒し

脾臓・膵臓

危険や災難から身を守ってくれる

アズライト

azurite

藍銅鉱●らんどうこう

●● 石の特徴

危険や災難から身を守ってくれます。人間関係では他人ごとに巻き込まれたりしないような洞察力や観察力を養わせてくれます。疲労による体調の不調を癒し、心身ともに健康を回復できるよううながしてくれます。感性に磨きをかけ、潜在能力を引き出し、才能を開花させることによって、成功へと導いてくれます。体調不良にも。

●● COMMENTS

基本的に人間関係で使う石です。汗に弱いので、身につける場合は取り扱いに注意してください。

波動の特徴

個性の強さ ❤❤❤

波動の性質

女性的　男性的

とこかターコイズに似たところのある、独自のクセのある波動は、男性的で持つ人を選びます。

身体の癒し

目

精神的な支えになってくれる

アベンチュリン

aventurine

砂金水晶●さきんすいしょう

●● 石の特徴

自律神経のバランスを整え、ストレスや緊張を緩和し、気持ちをリラックスさせてくれます。また障害や問題が起こったとき、冷静な判断ができるよう導いてくれます。心が混乱しているときや投げやりな気持ちになっているとき、育児や看病に疲れたときにも。家庭円満。健康に。

●● COMMENTS

ストレスや疲れ、また大きな決断を迫られてプレッシャーを感じているときの精神的なサポートとしても使います。

波動の特徴

個性の強さ ❤♡♡

波動の性質

女性的　男性的

中性的で穏やかな、安定した波動を持っています。持つ人を選びません。

身体の癒し

心臓

腎臓

自律神経

強い心を養い、安らぎを与えてくれる

アパタイト

apatite

燐灰石●りんかいせき

●●石の特徴

周囲や自分自身に振り回されない心の強さを養わせてくれます。仕事や家庭、恋愛、友人といった人間関係で信頼関係を築き、誠実な心を持ちながら人脈を広げていけるよううながしてくれます。先入観や固定観念を取り除き、素直な心で物事を判断できるようにしてくれます。心の安らぎを表す石なのでイライラを取り除き、心に穏やかさを与えてくれます。減量の精神的なサポートにも。

●●COMMENTS

疲れた人の心身の癒しに使います。体力の減退にともなって気力も落ちている場合には、体力を回復させ、気力も改善してくれます。人間関係では人との調和を保ちたい場合に使います。

波動の特徴

個性の強さ ❤♡♡

波動の性質

女性的　　男性的

力強い波動ですが、持ち主を下から支えてくれるような、やさしさと思いやりを持った石です。中性的な波動は、持つ人を選びません。

身体の癒し

目・鼻

口

心と体のバランスを整えパワーをくれる

アマゾナイト

amazonite

天河石●てんがせき

●●石の特徴

「健康な肉体には健全な精神が宿る」を体現する石です。さまざまな原因から生じる心身の不調を解消し、精神と肉体のバランスをとって健康を増進させます。元気のないとき、疲れ気味のとき、失敗で落ち込んだとき、ストレスを感じているときにエネルギーを与えてくれるのはもちろん、心の迷いを取り払い、自分の生き方に自信を持ちながら、進むべき道を前進していくことができます。また、計画中、実行中のプランを成功へと導いてくれます。健康、長寿にも。

●●COMMENTS

かなり汗に弱いので、身につける場合にはこまめに乾拭《からぶ》きするなど、取り扱いに注意が必要です。

波動の特徴

個性の強さ ❤♡♡

波動の性質

女性的　　男性的

落ち着いた、中性的な波動を持つ石です。誰に対しても、一定の働きをしてくれます。

病の癒し

婦人科系

筋肉

骨

緑や水色、青緑色があり、ほとんどの石に白い模様が入ります。模様が目立たない緑の石は「アマゾンジェード」と呼ばれることも。

Column 知っておきたいほかの石たち1

ここではブレスレットには使用することは少ないものの、
一般的によく知られている石を中心にご紹介します。

アイオライト

iolite

菫青石●きんせいせき

依存心を克服させ、周りの人や団体からの自立心を養います。感情的にならないよう自分の感情をコントロールし、冷静な対応ができるようになります。過剰な期待に応えなければならないというプレッシャーを和らげ、楽な気持ちで努力できるような心境へと導きます。人間関係のトラブル解消に。

サーペンチン

serpentine

蛇紋石●じゃもんせき

危険や災難から身を守り、健康で長寿へと導いてくれます。パニック症状を軽減させ、冷静さを与え、理性と感情のバランスを保てるようにうながしてくれます。

クリノクロア(セラフィナイト)

clinochlore　seraphinite

緑泥石●りょくでいせき

人生を平穏、安定、満足感で満たすために、いま現在、なにを考え行動すべきかを教え導き、人生設計を意識させます。心をいつも閉じてしまい、社会に対して恐怖心があり人間関係がうまくいかない人をゆっくりと癒し、心を開くようにうながします。大脳、小脳、脊髄、神経系全般を癒します。

ダイオプサイド

diopside

透輝石●とうきせき

将来への不安を取り除き、前向きな考えを意識させるよう導いてくれます。感情的にならないよう、自己コントロールができるように導いてくれます。魔除け、身の安全に。

災いから身を守り、迷いから覚ましてくれる

アメジスト

amethyst

紫水晶●むらさきすいしょう

●●石の特徴

「病は気から」の〝気〟を安定させ健康を促進します。恐れや心配、不安、トラウマから生じるストレスを和らげ、心の余裕や精神の安定をもたらしてくれます。感情に波があるときには冷静に物事を判断し、毅然《きぜん》とした態度を意識させ、人間的成長を応援してくれます。また、高貴な色を表す紫の石は不浄や不吉を嫌い、魔除けや厄除けには欠かせないお守りです。他人のマイナスの感情に移入してしまい、あたかも自分自身のことのような気持ちになってしまいがちなときには、「人は人、自分は自分」と、しっかり感情をコントロールできるように意識を向けさせてくれます。また家庭や親族、恋愛、友人、職場などの人間関係でのトラブルを円満に解決へと導く応援をしてくれます。人生の中で起こる「苦しい」「辛《つら》い」「悲しい」という心境をやさしく、力強く、そして温かく包み込み、神経を癒して安眠をもたらしてくれます。病気回復後の心身の癒し、現実逃避の回避、家庭円満、縁結び、恋愛成就、霊的体質のバランス、人間関係、がん、うつ、自律神経の癒し、神経質な人、短気な人、頭痛、安眠に。自分自身をきびしく律したいときにも。

●●COMMENTS

使用頻度がとても高い石です。迷いを断ち切って、前に進みたいときに使います。不安を抱えている人にも使いますが、アクアマリンやローズクオーツのように、やさしく癒すというよりは、むしろ感情をコントロールし、心を安定させていくときに使用します。

波動の特徴

個性の強さ ❤♡♡

波動の性質

女性的　男性的

持ち主の心をくみとって、しっかりと丁寧な仕事をしてくれる石です。穏やかでありながらも、凛《りん》とした波動をもっている石です。

身体の癒し

脳・皮膚
肺・腸
婦人科系

アメジストの原石

アメジストはほとんどの原石が、小さな六角錐の結晶が集合した状態で発見されます。結晶に囲まれた大きな空洞があるものは「アメジストドーム」または「ジオード」などと呼ばれ、観賞用や石の浄化に用いることもあります。

アメジストは色が深く、トーンが一定の石が
上質なものとされています。色が薄いものを
「ラベンダーアメジスト」と呼ぶことも。

緊張を和らげて表現力を高めてくれる

アメトリン

ametrine

石の特徴

活力を高めて心のバランスを整え、社会的、経済的に疲れているときに心の余裕を与えてくれます。極度の緊張をほぐし、隠れた才能や魅力を引き出します。不安から変化を起こすことをちゅうちょしている人には、やる気や行動力をアップさせ、前進できるよう力を貸してくれます。芸術面やクリエーティブに関するアイデアをもたらし、音楽、ダンス、舞台などでの表現力を培ってくれます。人間関係、金銭面、新陳代謝、協調性、理解力、冷静な判断力にも。

COMMENTS

表現力を高めるので、感情を表に出すのが苦手な人や、芸能関係に携わる人にも使います。

波動の特徴

個性の強さ ♥♥♡

波動の性質

女性的 ― 男性的

アメジストの「癒し」とシトリンの「鼓舞」。それぞれの石の特徴を備えた波動です。持つべき人が持ったときパワーを発揮します。

身体の癒し

消化器官
神経系

Aragonite

プレッシャーに負けない心をはぐくむ

アラゴナイト

aragonite

霰石●あられいし

●●石の特徴

多大な責任からくる重圧に負けず前進する力を与えてくれます。持続力、直感力を養い、困難に立ち向かう精神力を与えてくれます。緊張がほぐれて落ち着きが備わるため、人づき合いやコミュニケーションに対する苦手意識がなくなり、周囲の信頼が得られます。怒りとストレスを取り除き、人を許す心を養わせてくれます。

●●COMMENTS

プレッシャーに打ち勝つことを願う人に使います。汗に大変弱いので変色することがあります。

波動の特徴

個性の強さ ♥♡♡

波動の性質

女性的　男性的

やさしい波動で、だれが持っても力を発揮してくれる石です。独自のニュアンスを含んだ美しい石なのですが、汗に弱いのが難点です。

身体の癒し

肌

骨

椎間板

Anhydrite

人を引きつける魅力を与えてくれる

アンハイドライト

anhydrite

硬石膏●こうせっこう

●●石の特徴

束縛を嫌い、自由を表す石なので、自分らしく自信をもって楽しく前進できるよう導いてくれます。状況判断ができるようになることで、場の空気が読めるようになり、臨機応変な対応ができるよう導いてくれます。行動力や判断力を養います。持ち主の個性を磨き、引き出してくれます。

●●COMMENTS

人間関係において、もっと他者に目を向けたほうが良い場合に使います。極度に汗に弱い石です。

波動の特徴

個性の強さ ♥♡♡

波動の性質

女性的　男性的

中性的でおっとりとした波動です。決して主張が強い石ではないのですが、物静かな中にも確かな存在感があります。

身体の癒し

扁桃腺・のど・気管支

心と体のコンディションを整えてくれる

アンバー

amber

琥珀●こはく

●●石の特徴

生命力を高める力があり、気がめいったときは新たな気力や活力が湧いてくるよう、力を貸してくれます。毎日の生活によって疲れがたまり、ストレスで弱っている人の精神をリラックスさせます。高ぶった感情を鎮めて〝気〟のめぐりを元どおりにし、心身の回復をうながします。また健康のために持つと、さまざまな不快症状が軽減されます。長寿をもたらします。子供の健康や円滑な人間関係を願うときに。消極的になるときや内気になるとき。子宝。安産。流産防止。事業躍進の縁起担ぎにも。

●●COMMENTS

中国では琥珀の粉末を漢方薬として使用しているようですが、やはり健康面で使うことが多い石です。心身のバランスが崩れがちな場合にも使います。金運にいいと聞きますが、いままで金運という意味では使ったことがありません。

波動の特徴

個性の強さ ❤♡♡

波動の性質

女性的　　男性的

「健康」をイメージさせる、ナチュラルな存在感を放っている石。おだやかな波動は中性的でクセはなく、持つ人を選びません。

身体の癒し

気管支・甲状腺
耳・聴覚・肝臓
腎臓・副腎・胃
十二指腸・リンパ節
関節・目

青い光を放つ希少な存在

ブルーアンバー

blue amber

樹脂に含まれる成分が、紫外線に反応してブルーに見えるものを「ブルーアンバー」といい、琥珀の中でも希少なものとして珍重されています。高貴な雰囲気が漂うブルーアンバーは、アンバーの中でも波動にクセがあるので、持つ人を選びます。事業躍進に。

約3000万年前の針葉樹の樹液が化石化したもの。不透明で明るい黄色のものは「ミルキーアンバー」（写真上奥）と呼ばれています。

内に眠る才能や感性を引き出してくれる

オパール

opal

蛋白石●たんぱくせき

●● 石の特徴

生きる意欲を与え、つねにプラス思考を意識させてくれるので、明るく前向きな、楽しい人生が送れるように応援してくれます。そのため、周りの人にも良いエネルギーを分け与えることができるようになる石です。さまざまな経験から学んだことを人生の糧にすることのできる心境へと導き、そのポジティブな考えから何事にも動じない精神力をはぐくんでくれます。内面の美しさや感性、才能を引き出す力があるといわれているので、インスピレーションやクリエーティビティーを必要とする人、音楽、芸能、芸術、製作、美容などに携わる人を応援してくれます。タイミングや状況を瞬時に見極め、冷静に判断して対応できるようにうながしてくれるので、家族や恋人、友人との深い絆をもたらし、家庭円満や恋愛成就、結婚へと導いてくれるでしょう。恥ずかしさや照れ、内気な性格から生じる緊張感や自己抑制を緩和させ、ストレスを癒してくれます。明るい希望を与えてくれるのはもちろん、自分自身の人生を大切にして、幸せになりたいと願う気持ちや、自己実現へと向かわせる気持ちを応援してくれます。情緒不安定や更年期障害の緩和に。水に関する仕事のサポート、子宝、安産、婦人科系病気の癒し、ストレスからくる頭髪障害の癒しにも。

●● COMMENTS

他の石と組み合わせたとき、全体に安定感をもたらしてくれる石です。発想力や表現力を引き出してくれる石ですが、恋愛においても持ち主の良い面を引き出してくれるようにという意味合いで使います。

波動の特徴

個性の強さ ♥♡♡

波動の性質

女性的　　男性的

水分を含んだやわらかい石です。女性的なやさしさの中にも強さを感じさせる波動を持ち、持つ人のいい面を引き出してくれます。

身体の癒し

脳

小腸・大腸

心臓

遊色効果は最大の魅力

オパールは水中で小さなケイ酸球が沈殿し、密に堆積したものですが、中でもケイ酸球が規則正しく並ぶことによって虹色の輝きを放つものは、「プレシャスオパール」や「ノーブルオパール」と呼ばれています。このゆらめくような虹色の輝きは「遊色効果」や「虹色効果」と呼ばれ、水分を含むオパールならではの輝きといわれています。

虹色の輝きのないオパールは「コモンオパール」と呼ばれます。色はピンク、ブルー、イエロー、ホワイトなどさまざま。水分を含んでいるので乾燥には注意が必要。

現実的なトラブルから身を守ってくれる

オブシジアン

obsidian

黒曜石●こくようせき

●●石の特徴

決断力を高め、精神的な弱さを克服する力をもたらします。何らかの問題で迷いがあるときに判断力や決断力をうながしてくれます。困難に直面したとき、物事のマイナス面にとらわれず、障害をバネにして飛躍していくよう勇気づけてくれます。悪い習慣を断ちたいときに。目標達成、魔除けにも。

●●COMMENTS

魔除けとして使います。チベットアゲートは霊障に使うのに対して、こちらは人間関係やストーカーといった現実的な問題に対して使います。負を断ち切るという意味での目標達成にも使います。

波動の特徴

個性の強さ ❤❤❤

波動の性質

女性的　　　　男性的

邪を祓《はら》う男性的な波動は持つ人を選びます。やはり黒い石は陰の気が強いので、一時的な問題解決に使ったほうがいいでしょう。

身体の癒し

脊椎・血液・血管
視覚

球と右側のブレスレットは「レインボーオブシジアン」といって虹のような光沢を放ちます。左側は「スノーフレークオブシジアン」。

Column

ブレスレットのほかに オーダーできるもの

ストラップからピアス、ネックレス 水晶の彫像までオーダーできます

愛光堂は天然石専門店なので、出来上がりまでの時間をお待ちいただけるのであれば、可能な限りお客様のオーダーに応じています。ピアス、ネックレスをオーダーされる際には1～3カ月間ほど、また水晶の彫像などは大きさやイメージにもよりますが半年以上、お時間をいただいています。いずれにしても予約のうえ、ご予算とイメージ、製作期間をご相談させていただくかたちになります。

ショーケースに並ぶ水晶の彫像。石のクオリティーはもちろんのこと、細部の彫りにまでこだわった見事な彫像の数々は、まさに圧巻。**1** 茶水晶のグラデーションが美しい地蔵菩薩像（非売品）　**2** 右から虚空蔵菩薩、文殊菩薩、普賢菩薩の座像（非売品）　**3** 台座部分が苔水晶になっている大日如来（非売品）　**4** 水晶の大日如来座像（非売品）　**5** 竜を取り巻く水しぶきまで生き生きと表現した水晶の彫像（竜・大）

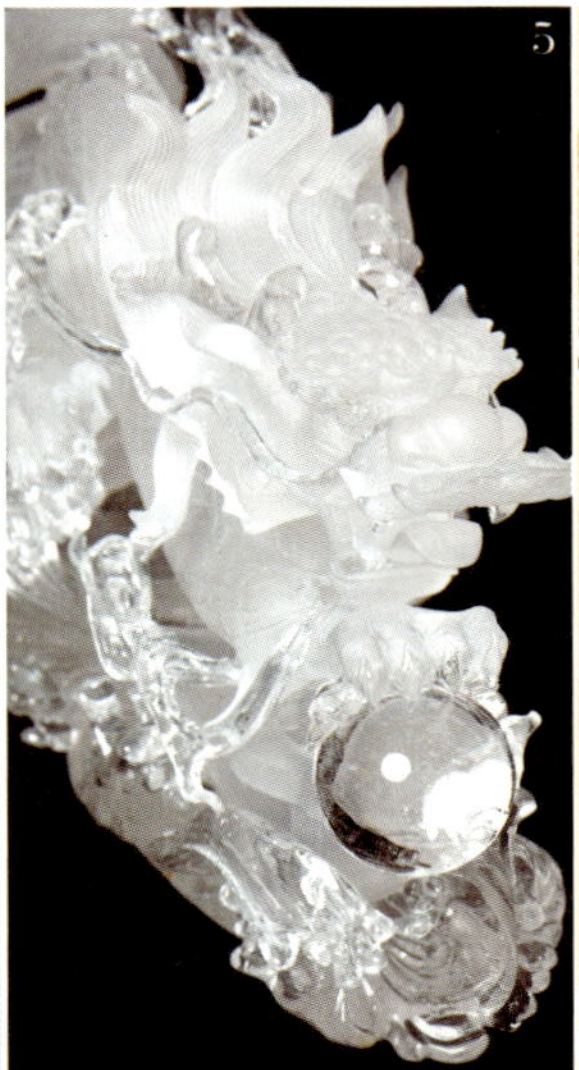

努力に共鳴して成功へと導いてくれる

ガーネット

garnet

柘榴石●ざくろいし

●●石の特徴

精神力を強め、勇気を与えてくれる石です。目標を見失ったり、挫折しそうなときに初心を思い出させ、ゆるぎない信念を持ち続けられるようサポートしてくれます。コツコツと積み上げていく地道な努力を実らせ、人生を成功へと導いてくれます。「わかっているのになかなか行動に移せない」という人の背中を押し、自分にマイナスと思われる状況から脱出する勇気をもたらします。目の前のことや形あるものだけにとらわれることなく、寛大な心で物事を見つめられるようになるため、あらゆることを自然に享受できるようになります。生活の不安定や金銭への欠乏の恐怖心を取り除きます。意識の改革、人生設計、集中力、決断力にも。

●●COMMENTS

努力している人にこそ使いたい石。成果を出したい、努力を実らせたい、経済面での不安、進路を決めたい、プロジェクトを成功させたいなど、仕事関係でよく使います。実らせたい目標が明確なときや血液に関する病気を癒すときは、ブレスレットの中心的存在として配します。婦人科系の癒しにも使います。ローズクオーツやムーンストーンがホルモン系に働きかけるのに対し、ガーネットはどちらかというと精神面や不快な症状に対する癒しとして働きます。どちらにせよガーネットは、持ち主を支えてくれる頼りがいのある石です。

波動の特徴

個性の強さ ♥♡♡

波動の性質

女性的 ―― 男性的

中性的な波動です。色によって波動の雰囲気は若干変わりますが、持ち主をしっかり支えてくれる頼もしいところは共通しています。

身体の癒し

血液・血管
関節・心臓
婦人科系

ガーネット
garnet

赤い色のガーネットが有名ですが、たくさんの種類に分けられるその他のガーネットも魅力的です。

わが道を行く精神力を与えてくれる

カヤナイト

kyanite

藍晶石●らんしょうせき

●● 石の特徴

肉体と精神を癒します。感情をコントロールし、それをひとつの大きな力にして、自分の道を突き進んでいけるよう導いてくれます。怒りと不満を和らげ、心の安定と平穏をもたらし、冷静さと明瞭さを養わせます。直感力、洞察力を高めて、創造力や表現力を養わせます。不安や恐れを取り除きチャンスをつかむ勇気を与えてくれます。決断力。判断力。新陳代謝の活性化にも。

●● COMMENTS

心に対する癒しに使います。不安や怒り、イライラを鎮め、ゆとりと安定をもたらしてくれます。心身のバランスをとり、精神を統一させ、自分のやるべきことをやるように導いてくれる石です。

波動の特徴

個性の強さ ♥♥♡

波動の性質

女性的　男性的

さっぱりとした波動です。おだやかに感じるものの、いざというときには教え諭してくれるような厳しさと強さを備えた石です。

身体の癒し

脳下垂体
甲状腺

あめ玉のようにおいしそうな質感が独特の雰囲気をかもし出す石です。

衝撃に弱く、割れやすい石なので、
取り扱いには注意が必要です。

理性的な解決をうながしてくれる

カルサイト

calcite

方解石●ほうかいせき

●● 石の特徴

もめごとを嫌う石です。たとえ困難な出来事に遭遇しても、決してパニックに陥らず、理性的に解決することができるようになります。繁栄、成功、希望を表し、身体と精神、感情のバランスを保ち、体にエネルギーを与えてくれます。人間関係を円滑にして調和で満たしてくれます。友人や家族との絆を深めます。子どもの健康を願う心境をサポートしてくれます。新陳代謝にも。

●● COMMENTS

困難な状況やアクシデントに見舞われて混乱している人や、気持ちが高ぶっている人、落ち込んでいる人に使います。心と体と感情のバランスを整えて、元気をくれる石です。

波動の特徴

個性の強さ ❤♡♡

波動の性質

女性的　　男性的

波動そのものは決して強くなく、存在を主張してくることもありませんが、どこか愛嬌を感じさせる石です。

身体の癒し

脳下垂体
甲状腺
ホルモン

やさしく背中を押してくれる石

カルセドニー

chalcedony

玉髄●ぎょくずい

着色が容易な石で、さまざまな色が流通していますが、写真はすべて天然の色のカルセドニー。

ブルーカルセドニー blue chalcedony

石の特徴

人間関係のわずらわしさに惑わされず、物事の本質を見抜く力を高めます。精神に柔軟さをもたらし、言葉による表現力や理解力を養い、コミュニケーション能力を高めて、どのようなときも相手に対してやさしく接することができる人間性を養います。新しい環境や状況下で不安やストレスを感じる場合も、心を開いて物事を受け入れ、なじみ楽しめるように導いてくれます。気持ちを軽く、楽にさせ、楽天的に前を見つめる力を与えてくれます。記憶力向上、人間的成長に。また緑内障や白内障の人にも。

COMMENTS

カルセドニーの中でも別格の石。ほかの石をまとめていく力を備えた、味わい深い魅力的な石です。

波動の特徴

個性の強さ ❤♡♡

波動の性質

女性的　男性的

ナチュラルな波動で、手堅い仕事をしてくれる石です。ほかの石にもよくなじみ、ブレスレット全体の波動を安定させる頼もしい石。

身体の癒し

目
耳・肺

その他のカルセドニー other chalcedonies

石の特徴

粘り強さや自信を与えるため、何事にも意欲的に取り組む向上心や思いやりを養ってくれます。自分で決めたことに挑む勇気や、やり通す持続力をはぐくみ、目的、望みを達成させます。やりたいことや夢が見つかり、自分自身の進む道へと導いてくれます。好奇心を忘れず、喜んで新しいことにチャレンジして修得しようとする姿勢を養います。聞く能力や理解する心、そして包容力を養わせるので、人の問題や悲しみを取り除く役割を担う力が備わります。家族愛、兄弟愛、良縁に。

COMMENTS

勇気を与えてくれる石です。とくにオレンジは好奇心を駆り立ててくれます。持続力のない人の背中を押してくれます。パープルは人を癒したり、人に奉仕する仕事に使います。

波動の特徴

個性の強さ ❤♡♡

波動の性質

女性的　男性的

オレンジは活発、活力というイメージ。パープルは癒しを感じさせます。基本的に波動はソフトで、持つ人を選びません。

身体の癒し

オレンジカルセドニー

血液
血管

パープルカルセドニー

リンパ腺・心臓
自律神経

あらゆる物事を良い方向へ導く万能の石

クリスタルクオーツ

Crystal Quartz

crystal quartz

白水晶●しろすいしょう

●●石の特徴

万物を清め、浄化し、気の流れを安定させ、良い方向へ軌道修正してくれる力を持っています。物事をあるがままに事実として受け止められる、器の大きな人間になれるよう導いてくれます。壁にぶつかったときに自分自身を見つめ直すようにうながしてくれるので、素直な心で良い判断ができるようになります。初心を忘れない謙虚でひたむきな姿勢が備わります。集中力、直感力を強化し、思考が混乱し心の乱れがあるときに精神の安定をもたらします。潜在能力を引き出して才能開花へと導きます。目標や夢を夢のまま終わらせず、現実の行動へと向かわせます。自分の生まれ持った個性や性格を肯定し、勇気や度胸をもたらし、自らの自信につながる強い心を鍛えます。元気がないときやさびしくて切ないとき、あるいは怒りや憤慨で感情が収まらないときに、そのネガティブでやるせない気持ちのリセットを手伝い、エネルギーを与えてくれます。神仏事や精神世界に携わる人に。魔除け、厄除け、身の安全、霊的体質（第六感）のバランス調整のほか、頭痛や偏頭痛などの癒し、神経マヒやしびれの軽減。健康。長寿。原因不明の病、奇病にも。

波動の特徴

個性の強さ ❤♡♡

波動の性質

女性的　　男性的

すがすがしく安定した波動です。無色透明のクリアな輝きがすべてをリセットし、前進していく力を与えてくれます。

身体の癒し

脳・頭・神経系・視覚
聴覚・味覚・嗅覚
触覚

●●COMMENTS

あらゆる石の中でもっとも良い波動を感じます。すべてを認め、応援してくれる石です。純粋さを取り戻したい、初心に返りたいときにも適しています。たとえ特定の願いごとがなくても、水晶のブレスレットをお守り的に持っておくと、あらゆるものをクリアにしてくれるでしょう。

水晶の中にかかる虹

レインボークオーツ

rainbow crystal quartz

水晶の中に虹が現れているものをレインボークオーツといいます。これは内部に自然発生した亀裂の中に空気が入ったことで、「イリデッセンス効果」と呼ばれる光の干渉作用が起こった結果、現れる現象です。「アイリスクオーツ」という呼び名もあります。

クリスタルクオーツ
crystal quartz

ガーデンロッククリスタル garden rock crystal

石の特徴

不変、完全、達成を表すこの石は、勇気と希望を意識させ、志を成功、勝利へと導いてくれます。知性や理性を養う意識をもたせてくれるので、誠実な人間性を作り上げることができます。感性を研ぎ澄ませ、インスピレーションの向上を図るというわれがあるため、芸術的、芸能的な才能が養えます。マイナスエネルギーを発する空間や状況から身を守る力があり、住まいや職場、旅先、とくに森林伐採跡地や埋め立て地などの開拓地で用いると精神を安定させてくれます。固定観念を取り払って思考範囲を広げ、成長を応援してくれます。事業計画、人生計画、学習計画、企画成功に。

波動の特徴

個性の強さ ❤❤❤

波動の性質

女性的 — 男性的

内包物が入ることで、通常の水晶よりスピリチュアル的な性質が強まります。波動はどちらかといえば男性的で、持つ人を選びます。

身体の癒し

心臓・肝臓
腎臓・膵臓
脾臓・腸

COMMENTS

いい石ですが頻繁に使うことはありません。本当に必要な人にのみ、当てはめて使うような石です。

模様の美しさがこの水晶の価値を左右します。右下のペンダントトップは、内包物が富士に桜霞がかかる光景を描く貴重なもの。

美的感覚と創造性を刺激する

クリソコラ

chrysocolla

珪孔雀石●けいくじゃくせき

●●石の特徴

不安や恐れ、心配などで情緒不安定なときに感情をなだめ、心に静けさを与えてくれます。バランス感覚を回復させ、ストレスを吸収してくれるので、安らぎをもたらしてくれます。心配ごとに追われて落ち着かないときや、対人関係で衝突しがちなときに。また美的感覚を高め、創造性を呼びさますので、クリエーティブな仕事に就く人、目指す人に。仕事の発展。安産。リウマチの人にも。

●●COMMENTS

芸術性や創造性を磨きたい人に使います。ちょっとした邪気払いや健康面で使うこともあります。

波動の特徴

個性の強さ ❤❤♡

波動の性質

女性的　　男性的

少々クセのある女性的な波動の石です。汗に弱いので、取り扱いには注意が必要です。

身体の癒し

皮膚
脾臓・肝臓
筋肉

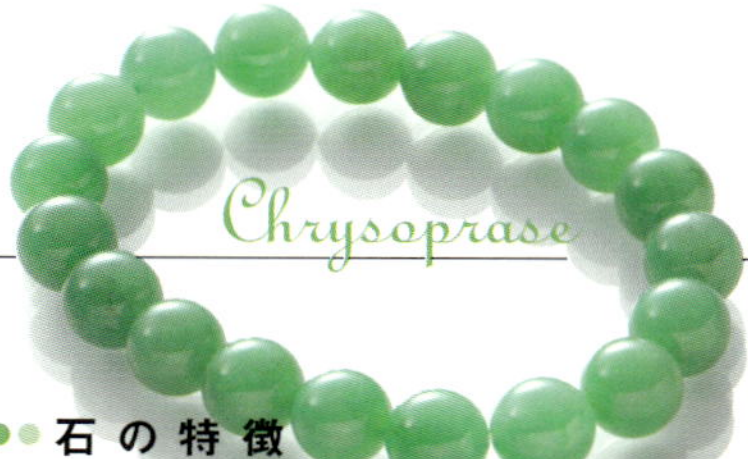

目標達成をバックアップしてくれる

クリソプレイズ

chrysoprase

翠玉髄●みどりぎょくずい

●●石の特徴

怒りや緊張などの過剰な感情の高まりを抑え、不安を和らげてくれます。劣等感を克服する力と自信を与え、何事もあきらめず前向きに取り組んでいく強い自分を作りあげてくれます。そのため、どんなことがあっても自分の能力を信じ、才能を引き出して自己実現へと向かわせます。子宝。独立して事業を始めるときにも。痛風やリウマチの人、てんかんにも。

●●COMMENTS

目標達成のための強さを求めている人に使いますが、持つ人によって力を発揮するか、しないかが分かれるので、相性の良い人にしか使いません。

波動の特徴

個性の強さ ❤❤♡

波動の性質

女性的　　男性的

生命力にあふれた、迫力のある波動を持つ石です。誰にでも同じ働きをするとは限らない、マイペースで個性的な面があります。

身体の癒し

肝臓
皮膚
血液

行動を起こす勇気と決断力をもたらす

クンツァイト

kunzite

石の特徴

ネガティブなエネルギーを取り払い、つねにプラスのエネルギーを与えてくれる石です。心理的な障害を取り除き、自己表現をうながし、感情を自由にコントロールしながら素直な心を養わせてくれます。恋愛や家庭、仕事といった人間関係の迷いがあるときには決断力と勇気を与え、進むべき道へと導いてくれます。精神的安定をもたらすので、うつやパニックといった症状を軽減させてくれます。謙虚さが養われるため、人から信頼される人間性が備わります。恋愛成就、家庭円満、結婚、良縁に。

波動の特徴

個性の強さ ❤♡♡

波動の性質

女性的　男性的

淡いピンクが可愛らしい女性的な波動の石です。やわらかく傷がつきやすいので、取り扱いには注意が必要です。

身体の癒し

神経
リンパ腺
関節・腰
座骨神経・心臓
血管・血液

COMMENTS

恋愛、仕事、日常生活などあらゆる場面で「わかっているけどなかなか行動に移せない」というときに使います。感情を整理したいときや、惰性を断ち切りたいときに、自分で選んだ道を責任もって進めるようにという意味で使います。

「スポジュミン」と呼ばれる石の中でも、ピンクから薄紫のものをクンツァイトといいます。「カリフォルニアアイリス」という別称も。

成功への原動力を培うパワーストーンの王様

ゴールドルチルクオーツ

gold rutilelated quartz

金針水晶●きんばりすいしょう／金紅石入り水晶●きんこうせきいりすいしょう

石の特徴

「最強の力を持つエネルギーの源」といわれるこの石は生命力や活力を象徴し、あらゆる人生の問題やハードルを乗り越えていく精神力を養い、サポートをしてくれます。消極的になってしまう事柄に対しては、勇気や度胸をうながしてくれるので、成功、勝利、達成はもちろん、最終的には自己実現へと結びつけてくれるといわれています。人生の中で起きるさまざまな不安や心配を「なるようになる」と受け止められる楽観的思考へと変換させてくれます。そして何事も現実的に受け止め、自分自身が納得する方向に導いてくれます。「人の意見や行動は参考でしかない」という心境を作り、多少のことでは揺らぐことのない強い信念を育ててくれます。力強い行動力や統率力、指導力を必要とする人がこの石を持つと、人間性や知性を養う努力の必要性を認識できるようになるので、周りの人から信頼を勝ち取ることができ、力強い関係性が築けるようになるでしょう。元気と明るさと前向きさを与えてくれるため、身体からみなぎるプラスのエネルギーが周りの人にも伝わり、良い影響を与えることができるようになります。ポジティブな考え方や気持ちをうながしてくれ、経験したことやこれから体験することに対して、確固たる自信を持たせてくれます。健康促進、精神安定、家庭円満、事業躍進、商売繁盛、仕事の向上、人間関係、金銭感覚を養う、魔除け、交通安全、霊的体質のバランス、縁結び、恋愛成就、プラス思考、学力向上、毅然たる態度、けじめ、がん、糖尿病、難病、うつ病の癒しに。

波動の特徴

個性の強さ ❤♡♡

波動の性質

女性的　　男性的

パワーストーンの王様と呼ばれるにふさわしい力強さと、頼りがいのある波動を持つ石です。金針の入り方によっても波動のトーンは違ってきます。

身体の癒し

肝臓・腎臓
副腎・膵臓
心臓・脾臓

ゴールドルチルの中でも針の入り方によってキャッツアイ効果を示すものがあります。最近ではほかのものと区別され、貴重とされるようになりました。写真はすべてキャッツアイのゴールドルチル。

Gold Rutilelated Quartz

COMMENTS

成功や繁栄を願う場合には、かならずといっていいほど使う石です。元気と自信を与えてくれるので、勇気や支え、慰めが必要な人にも使います。やさしく導くというよりは積極的に前進していくイメージで、気力、活力を与えてくれる力強い波動を持っていますが、ほかの石と組み合わせても調和を乱すことがありません。私たちもつい使いたくなってしまう魅力と存在感にあふれる石です。

左ページの写真のように、同じゴールドルチルでも針の入り方やトーンはさまざま。それに応じて石の力強さも変わってきます。マニアックな世界では毛髪状の細い針を「ヴィーナスヘア」、直線的なものを「キューピッドダーツ」と呼んで区別するようです。中央のペンダントトップのように太くて力強いものには迫力があり、圧倒されます。

ゴールドルチルクオーツ
gold rutilelated quartz

執着や迷いを断ち切るクールな石

サファイア

sapphire

青玉●せいぎょく

●●石の特徴

恋愛や仕事において熱くなりすぎている心をクールダウンし、冷静な思考力で物事を判断し、決断をうながし前進していけるよう応援してくれます。また思い込みや執着、惰性といった負の感情や習慣にとらわれているときには、それらを断ち切るサポートをしてくれます。感情が邪魔して自分の非を認められない、行動や決断ができないときに。

●●COMMENTS

目標を貫徹したいときに使う石です。「何がなんでも」という強い決意や、自らの問題や弱点を克服したいときに使用します。融通が利く石ではないので、中途半端な決意や迷いがあるときにはおすすめできません。そのかわり決意を固くすれば、しっかりと応援してくれます。持つ側も覚悟して持つべき石だといえるでしょう。

波動の特徴

個性の強さ ❤♡♡

波動の性質

女性的　　　男性的

持つ人を選びませんが、どこか畏れ多い、重みを感じる波動です。懐が深いものの融通が利かず、一方的な働きかけをする部分も。

身体の癒し

目

サファイアにもピンクやイエローなどさまざまな色があります。写真の下方はパープルサファイア。

自信を回復しポジティブになれる

サンストーン

sunstone

日長石●にっちょうせき

●●石の特徴

生命力と生きる喜びを与えるといわれ、何事にも楽しく前向きに取り組む姿勢を応援し、ネガティブになりがちなときに勇気と希望を連想させてくれます。自信が持てるようになり、目標達成への信念を貫かせてくれます。人生の方向転換や新しいことに挑戦するときに勇気と希望を与え、進みたい道に向かえるようサポートしてくれます。創造力や発想力、表現力を養ってくれるので芸能や芸術、ビジネスの発展向上が望めます。頼まれごとや勧誘を断るのが苦手な人には、意思の主張ができるよう応援してくれます。自己抑制しすぎで気疲れしている人を癒してくれます。人間関係、コミュニケーション能力、自己実現、健康全般に。

●●COMMENTS

自信を持って前進する必要がある人や、芸術的才能、イマジネーションを強化したい人に使います。

波動の特徴

個性の強さ ❤♡♡

波動の性質

女性的　　男性的

陽の気を持っています。楽観的な思考と前進力を与えてくれる、ゴールドルチルに似た、しっかりとした波動を持ち合わせています。

身体の癒し

自律神経・のど

胃・頸椎

筋肉・関節

人間的成長をうながしてくれる

ジェダイト

jadeite/jade

翡翠●ひすい／ヒスイ輝石●ひすいきせき／硬玉●こうぎょく

石の特徴

自分自身やすべての人をあるがままに受け入れて固定観念から自由になり、素直さ、純粋さ、冷静さ、忍耐が備わることで寛大な心が養われるといわれています。また災難や人から受けるマイナスエネルギーから身を守り、トラブルや危険を回避させる力を与えます。「楽しく明るく元気」が人生のテーマになるよう、人に影響されず自然体で自分らしく振る舞えるようにサポートしてくれます。中国では人生の成功と繁栄、そして健康長寿を象徴する守護石として有名です。日本では霊的な石として魔除け、厄除け、神仏事に使用されてきた歴史があり、なくてはならないお守りとされています。健康全般。音楽や芸術的才能。事業躍進。商売繁盛。金銭面。仕事面。恋愛成就。結婚。家庭円満。安産。子宝。人間関係。学力向上。新陳代謝の促進。うつや精神の病、頭痛、霊的体質のバランスに。

波動の特徴

個性の強さ ❤♡♡

波動の性質

女性的　　男性的

物静かでありながら、強い波動を持っています。動じない、凛とした性格を持ち合わせた石です。

身体の癒し

腎臓・副腎・心臓

肝臓・胃・目

大腸・小腸

COMMENTS

仕事においても恋愛においても、自分を成長させて人生を切り開いていこうとする人のサポートに適しています。中国では縁結びの石とされていますが、愛光堂では軽い恋愛の願いごとでは使用しません。また家の繁栄、健康面で使うことも多い石です。精神的に落ち込んでいる人、弱っている人にも使います。色によっても多少、波動のトーンが変わってくる石です。

中国ではヒスイとして扱われる石

ネフライト

nephrite

中国ではヒスイ同様、魔除けや厄除け、人間関係、商売繁盛などで有名な石です。見た目も働きもヒスイと似通っており比較的安価なため、ヒスイの代わりに使われることも。探究心を培って人間的成長を遂げる手助けをしてくれます。和名は「軟玉」。

緑色の石の代名詞ともいえるヒスイには、さまざまな階調の緑があります。右下はラベンダー、左下の勾玉《まがたま》は白のヒスイ。

混沌とした心を整理し落ち着かせる

ジェット

jet

黒玉●こくぎょく

●●石の特徴

争いや怒りを回避させ、災いから身を守ってくれます。他人からの干渉を払いのけてくれます。貯蓄をうながし財政を安定させるでしょう。旅行安全、事業躍進、商売繁盛、交通安全、魔除けに。

●●COMMENTS

ヨーロッパなどでは昔から魔除けの石として使われていますが、愛光堂ではそのような目的では使用しません。あまり重みの感じられない石なので、身につける場合は、ほかの石とは組み合わせるより、単体でブレスレットに仕上げたほうが良いでしょう。

波動の特徴

個性の強さ ❤♡♡

波動の性質

女性的　　男性的

女性的な波動を持つクセのない石ですが、軽い波動なので、ほかの石と組み合わせるのが難しい石です。

身体の癒し

胃・腸

他人に振り回されない強さを与えてくれる

シトリン

citrine

黄水晶●きすいしょう

石の特徴

自分の信念が揺るぎやすいときや人に影響されてしまいがちなときに自信と希望を与え、「人は人、自分は自分」という意識を持たせてくれます。目標達成をうながすこの石は、人生におけるさまざまな困難やハードルを乗り越えていく勇気と度胸をはぐくみ、それを自信につなげてくれます。また色彩学的、心理学的にも黄色は脳の活性化や気持ちを高揚させるといわれるので、向上心や行動力をうながし、躍動感や満足感を与えてくれるでしょう。人生の方向性が定まらないときには、焦りからくる不安な気持ちを癒し、元気づけてくれます。性格を明るくし、陽気で快活な表現力をつけさせ、豊かなコミュニケーションが図れるよう導いてくれます。そして言葉や態度がうまく相手に伝わらないために生じる人間関係での誤解を防ぎ、相手の気持ちを察した会話ができるよう応援してくれます。健康を促進させ、冷静な思考や思案をバックアップしてくれます。仕事面、率先力、統率力、風水色として貯蓄運や金運、金銭面での悩みなどに。

COMMENTS

もともと前向きな人に使うことが多い石です。また、人に振り回されてばかりで自分がない人、振り回されたくないのに人に影響されてしまう人が、「充実した日々が過ごせるように」という強い意識が持てるようにという意味で使うこともあります。広く商売繁盛にも使用します。宝くじ当選など、一攫《いっかく》千金の報告が多いのもこの石の特徴です。お金に関する悩みが解決したという声も珍しくありません。

波動の特徴

個性の強さ ♥♡♡

波動の性質

女性的 ―――●――― 男性的

それほど強い波動ではないものの、不思議な存在感を放つ石です。明るい黄色のせいか、妙に面白おかしいところがある石です。

身体の癒し

肝臓・腎臓・胃
脾臓・膵臓・目
膀胱・甲状腺・腸

右下がジャスパー。左上がブロンザイト。エンスタタイトに一定の鉄分を含むものがブロンザイト。ほかの含有成分の比率によってジャスパーと見なされることも。

短期の目標達成を応援してくれる

ジャスパー/ブロンザイト

jasper / bronzite

碧玉●へきぎょく/古銅輝石●こどうきせせき

●●石の特徴

どのような問題も真剣に受け止め、取り組む勇気をもたらします。どんなときも自分に正直、素直であるようにうながし、ストレスからくるネガティブな感情や状況から抜け出せるよう導いてくれます。旅の安全にも。

●●COMMENTS

混乱した思考をまとめたいときに使う石です。

ブロンザイト blonzite

●●石の特徴

人に敬意を持って接し、誠実さをもって行動できるようになるので、深い信頼を得ることができます。競技、争い、討論などで相手から勝利や理解が得られます。偏見や先入観に惑わされず物事を公正に見る目を養います。

●●COMMENTS

意識改革で持つといい石です。長所、短所に向き合い、自己分析できるようサポートしてくれます。

波動の特徴

個性の強さ ❤❤♡

波動の性質

女性的　　男性的

決して強くなく、柔軟性のある波動が特徴の石です。ただ、多少、個性がある波動なので、持つ人を選びます。

身体の癒し

ジャスパー

肝臓・腎臓・副腎
胃・膀胱・耳・鼻

ブロンザイト

脳・自律神経

ゆとりと強さを備えたヒーリングストーン

スギライト

sugilite

杉石●すぎいし

●●石の特徴

抜群のヒーリング効果を持ち、ストレスやショック、トラウマを取り除いて心を癒します。感情の浮き沈みが激しくそれが原因で精神的にパニックに陥りやすい人の心を落ち着け、冷静になるよううながしてくれます。感受性の強すぎる人は考えすぎず、傷つきやすさを克服し、人間としての器を大きくする手助けをしてくれます。変化への順応性を養って内面を強化し、精神力を培います。心身の浄化を図ります。発想力を豊かにし、創造力を高めます。魔除け、霊的体質のバランス、奉仕の心に。抵抗力や免疫力を高めてくれる。頭痛やてんかん、自閉症、がんの癒しに。

波動の特徴

個性の強さ ❤❤❤

波動の性質

女性的　男性的

崇高さと畏れ多さを感じさせるこの石は、持つ人を選びます。強く、どっしりと構えた懐の深い波動は心に作用し、癒しをうながします。

身体の癒し

神経・脳
リンパ系・心臓

●●COMMENTS

心に作用し極度の悲しみを癒す石です。畏れ多さを感じるこの石は、決して万人向けではありません。複雑な状況の中で進むべき方向に焦点を合わせたい人に使いたい石。感覚を研ぎ澄ます力も。

高貴な風格を漂わせる紫色のスギライトは、20世紀末に発見された比較的新しい石ですが、癒しの石として有名な存在です。

やさしく鼓舞してくれる母性を宿した石

ストロベリークオーツ

strawberry quartz

針鉄鉱入り水晶●はりてっこういりすいしょう

石の特徴

カザフスタンの標高4000メートル以上の山岳地帯で産出されるこの石は、見た目の可愛らしさとは裏腹に、力強くエネルギッシュで包容力のある母性を表します。「頭ではわかっているけど…」という心境に決断と勇気を与えてくれます。観察力をうながすため、物事や人物を固定観念ではなく寛大な心でとらえることができます。「愛」がテーマの石なので、恋愛はもちろん、家族や友人、そしてかかわり合う人すべてに対して思いやりの心で接するよう意識させてくれます。また自己愛や魂を癒すことを心がけるようにうながしてくれます。人生の中で何が大切で必要か、自分自身の答えに近づけるようサポートしてくれます。五感を研ぎ澄ませ、現実的かつ冷静に物事を思案させてくれるよう導いてくれます。魅力的でありたい、素直な自分でありたい、幸せに人生を送りたい人におすすめ。仕事での成功、人間関係、家庭円満、良縁、結婚、子宝、安産、うつ気味、イライラ、頭痛、めまい、集中力、決断力、判断力、創造力、理解力、観察力、順応性、協調性、柔軟性、思いやり、美容に。

COMMENTS

恋愛や仕事において自己改革を望む人に使います。障害や困難に耐えながらも目標をクリアしていくイメージです。やさしく励ましてくれるこの石とゴールドルチルは最高の組み合わせといえるでしょう。希少性が高く、良質なものは入荷が困難な石です。こちらが「こう変わったらもっと良くなることに気づいてほしい」と感じる人にも使います。攻撃的な面がない魅力にあふれた石です。

波動の特徴

個性の強さ ❤♡♡

波動の性質

女性的　　男性的

ゴールドルチルにやさしさを足したような波動は持つ人を選びません。懐の深いおだやかで頼りがいのある波動を持つ可憐な石です。

身体の癒し

心臓

婦人科系

腸

ストロベリークオーツ
strawberry quartz

凝り固まった頭と心をほぐしてくれる

スモーキークオーツ

smoky quartz

煙水晶●けむりすいしょう

石の特徴

精神的・肉体的なストレスや恐れ、不安を和らげ、心に平静さをもたらします。ついマイナス思考になりやすく、考えすぎる傾向のある人をプラス思考へと転換させ、物事を楽しく、楽に考えられる習慣が身につくように導いていきます。心に迷いがあるときに、いま何が一番大切かを教えてくれます。病気の早期回復、健康、子宝、良き人間関係に。

COMMENTS

頭をほぐしてくれる石です。固定観念が強くて頑固な人が、柔軟な考え方ができるように。思考が固まりやすい男性によく使います。また物事を深く、複雑に考えすぎる人にも使用します。ほかの石と組み合わせることで力を発揮する石です。

波動の特徴

個性の強さ ❤♡♡

波動の性質

女性的　男性的

色は男性的ですが、基本的にはフラットな石です。攻撃的なところがなく、「リラックス」、「ほぐし」を思わせる落ち着いた波動です。

身体の癒し

背中・腰

背骨

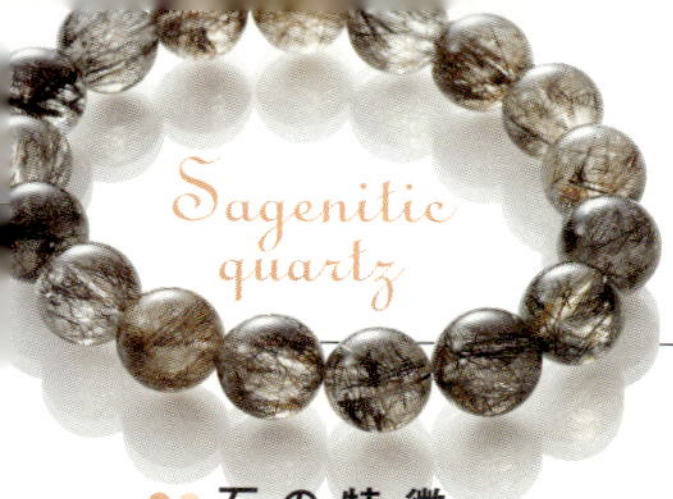

直感を研ぎ澄ませて決断力を養う

セージニティッククオーツ

sagenitic quartz

針入り水晶●はりいりすいしょう

石の特徴

集中力、直感力、決断力、忍耐力、精神力の強化をうながします。仕事や勉強、勝負事で成し遂げたい課題があるときは、目標達成へ向けて力強くサポートしてくれます。洞察力、観察力、判断力をうながし、物事や人事を見極める目を養ってくれます。情のもろさや、やさしさが人生の妨げにならないように厳しくサポートしてくれます。感性を研ぎ澄ませ、創造性を発揮させてくれるといわれています。何事にも惑わされない強い心を意識させ、毅然とした態度をとりながらも円満な人間関係が築けるよう応援してくれます。人生の中でかならず出てくる何らかの迷いに対して楽観的な心境へと導き、方向性を見いだすサポートをしてくれます。モチベーションを高め自己実現を応援します。人からの邪魔や嫉妬、悪口を払いのけ、

波動の特徴

個性の強さ ❤♡♡

波動の性質

女性的　男性的

強い波動でありながら、人を煽るようなところのないクールな波動を持つ石です。誰に対しても一定の働きをしてくれます。

身体の癒し

のど・脳・目
心臓・腎臓・肝臓
血管・気管支
リンパ腺

赤銅色の針の入り方によってキャッツアイ効果をもつタイプの針入り水晶です。

Sagenitic
quartz

守護してくれます。事業躍進や商売繁盛、魔除け、厄除け、浄霊、災難・事故からの守護、がん・糖尿病・難病の癒し、頭痛の緩和に。アジアでは金運、健康運、恋愛運を高めるといわれ、西洋では縁結びの石といわれています。

COMMENTS

ゴールドルチルと同じように目標達成、事業の成功などに使います。ゴールドルチルが持ち主を鼓舞して元気づけるのに対して、この石は直感を研ぎ澄ませて判断力や決断力を高めていくときに使用します。人生の岐路において適切な判断を下せるようにという意味合いで使います。仕事や勉強、勝負事でもよく使います。やる気が出ないとき、モチベーションを高めるきっかけをくれる石です。災難から身を守るお守りとしても使用しますし、健康面では、慢性化している頭痛など、頭に関する癒しでよく使う石です。針の濃淡で波動の強弱や硬軟に違いが生まれます。

左ページのように、針入り水晶にはさまざまな色があります。色によって印象が変わりますが、キリッとした存在感がありながらも、落ち着きのある波動はどの色にも共通した、この石ならではの持ち味です。

セージニティッククオーツ
sagenitic quartz

のどや声を使う職業の人に成功をもたらす

ソーダライト

sodalite

方ソーダ石●ほうそーだせき

●● 石の特徴

恐怖心や猜疑心、罪悪感を取り除き、物事の見方をクリアにできる力を与えてくれます。人とのコミュニケーションが苦手な人や早口、どもり症などを克服し、要点を得た話ができるように導きます。過去に失敗したことで臆病になり自分に自信のない人は、勇気と希望を持って再度チャレンジできるよう導いてくれます。人間不信の克服にも。

●● COMMENTS

努力に反して結果が出ない人、トラウマや人への苦手意識を克服したい人に使います。のどにいいので声優、歌手、アナウンサーが指名する石です。

波動の特徴

個性の強さ ❤♡♡

波動の性質

女性的　男性的

男性的な波動の石ながら、トラウマや緊張をほぐす力をもっています。汗に弱いため、取り扱いには注意が必要です。

身体の癒し

のど・咽頭・声帯

リンパ系

目・消化器系

初心に返って新たな人生の扉を開く

ゾイサイト

zoisite

ゆう簾石●ゆうれんせき

●● 石の特徴

気分が落ち着かず、疲れやストレスが溜まっている人のやる気を高めて、元気が出るようサポートしてくれる石です。つねに初心に返らせてくれます。愛する人との関係をより深く育てたい人、クリエーティビティーを養いたい人に。子宝にも。

●● COMMENTS

基本的に重い問題に使う石です。婦人科系、生殖器系の病気に関してはメインの石として使います。子宝でも使いますが、過去の中絶により精神面、身体面に問題のあるケースなどにも使用する石です。

波動の特徴

個性の強さ ❤❤❤

波動の性質

女性的　男性的

中性的ですが、厳しさをもった波動の石です。グリーンの石の中にルビーが共生した「ルビーインゾイサイト」という石もあります。

身体の癒し

睾丸・子宮

旅の災難から守ってくれる守護石

ターコイズ

turquoise

トルコ石●とるこいし

石の特徴

持ち主の代わりに危険を察知し、災難から身を守ってくれます。やる気を与えてくれるので前向きな姿勢になり、自己否定を取り除き、自信が持てるようになります。人前で話すのが苦手な人に対しては表現力を豊かにさせ、緊張を解きほぐします。またビジネスや商談で勝利を勝ち取るための気力を高めてくれます。旅立つ人には、旅先での安全をもたらしてくれます。事業躍進、恋愛にも。

COMMENTS

旅のお守りとして指名する人が多い石です。いい石ですが、願いごとに対して順応していく石ではありません。単体で持ったほうが良い石でしょう。

波動の特徴

個性の強さ ♥♥♥

波動の性質

女性的　　男性的

中性的でストレートな性質の石。人や状況に合わせて変化する柔軟性はありませんが、元気にしてくれる波動を持っています。

身体の癒し

胃・目・筋肉

集中力を強化し仕事運を高めてくれる

タイガーズアイ

tiger's eye

虎目石●とらめいし

●● 石の特徴

直感力、集中力、精神力を強化し、何事も冷静に判断する力を養い､成功へと結びつけてくれます。人の絆や縁を表すこの石は、良きパートナーや友人と引き合わせてくれます。事業計画や企画、勉強、人生設計を力強く応援します。虎の目が魔除けを表すといわれ、虎模様をイメージさせるので金銭面の縁起担ぎとしても使用されます。人づき合いでイエス･ノーをはっきりさせたいとき、勇気を与えてくれます。金銭トラブルを防ぎ、金銭感覚を養って貯蓄をうながします。仕事面、商売繁盛、勝負事や試合、人間関係、学業に。

●● COMMENTS

試験や勝負事、人脈づくりに。人との出会いによって違う世界に進めるよう応援してくれる石です。

波動の特徴

個性の強さ ♥♡♡

波動の性質

女性的　男性的

男性的でストレートな波動の石。個性的な見た目は好き嫌いが分かれますが、誰が持っても一定のパワーを発揮してくれます。

身体の癒し

気管支･のど
目･肝臓

ホークスアイ/レッドタイガーズアイ hawrk's eye/red tiger's eye

●● 石の特徴

プライベートを充実させ、自分だけ取り残されてしまうような孤独感や孤立感、寂しさをなくし、日々を楽しく生きる力を与えてくれます。他人からの悪い波動を寄せつけないようにしてくれます。緊張感や興奮状態を落ち着かせてくれます。複雑な状況から解決法を見つけ出すことができます。極度の不安感、いら立ち、恐怖心などを取り払い、心を静かに落ち着かせてくれます。魔除け、交通安全、旅行安全、良き人間関係に。

●● COMMENTS

人間関係の問題や魔除け、厄除けに使う石です。

波動の特徴

個性の強さ ♥♥♡

波動の性質

女性的　男性的

タイガーズアイの色違いですが、陰のイメージが強い石。霊的な現象には暗い色、お守り的に持つなら明るい色が適しています。

身体の癒し

心臓･血管
リンパ管･腸･足

左上の濃紺がホークスアイ、右側の赤茶は人為的に加熱したレッドタイガーズアイ、左下の黄色がタイガーズアイ。右上端はホークスアイの原石です。

神秘的なサイキックストーン

チャロアイト

charoite

チャロ石●ちゃろせき

●●石の特徴

漠然とした恐怖心、不安感、心配、ストレスを和らげ、心を癒し、リラックスさせてくれる石です。固定観念、強迫観念、自己否定、疎外感を克服することができるので、自分を信じ、自らの道を歩む勇気を与えてくれます。自分の気持ちをうまく表現できないときに、緊張感をなくして相手にうまく伝えられるよう導いてくれます。不眠を安眠へと変えてくれます。

●●COMMENTS

心臓や婦人科系、消化器官の病気に使う石です。固定観念や疎外感の強い人を癒すときにも使います。スピリュアルな意味で「目覚めたい」人が持ちたがる石ですが、興味本位で持っても本格的な目覚めは難しいでしょう。

波動の特徴

個性の強さ ❤❤❤

波動の性質

女性的 ―― 男性的

女性的で軽い波動の石。脳と心のバランスを整え、狂ったチャンネルを元に戻してくれるなど、サイキックな力を秘めています。

身体の癒し

肝臓・心臓

膵臓・目・扁桃腺

甲状腺・婦人科系

消化機能

放射線で青に着色したブルートパーズ

仕事で頑張る人を応援してくれる

トパーズ

topaz

黄玉●おうぎょく

●●石の特徴

直感力や洞察力に加え、創造力、発想力を与えてくれます。物事の良し悪しを判断する能力が備わり、地道な努力を実らせてくれます。「継続は力なり」を意識させるこの石は、前向きな精神性を養ってくれます。創造性を高めて感性を研ぎ澄ませてくれます。相手の気持ちを純粋に受け止める包容力をはぐくんでくれます。指導的立場や責任ある地位にある人におすすめです。達成、成功に。

●●COMMENTS

頑張っている人に対して成果が出るようにという意味合いで使う石です。計画性を養ってくれる石なので、仕事関係でもよく使います。

波動の特徴

個性の強さ ♥♥♡

波動の性質

女性的　男性的

ナチュラルな波動を持ち、持ち主に合わせてくれる柔軟性があります。頑張っている人に共鳴し、見守ってくれる石です。

身体の癒し

肝臓・皮膚

心に働きかける力強い癒しの石

トルマリン

tourmaline

電気石●でんきいし

●●石の特徴

精神を癒す働きがあり、右脳と左脳のバランスをとり、マイナス思考からプラス思考へと変化させてくれます。愛を引き寄せる力があり、自分自身を愛し、思いやりの心を持って他者を愛することができます。人間関係での強迫観念を取り除き、安心して相手を信頼できるよう導いてくれます。心配や不安、悲しみや落ち込んだ気持ちを癒し、安らぎとリラクセーションを促進させます。他人に感情的に取り込まれてしまうのを防ぎ、冷静な判断をうながしてくれます。情に流されやすい人や感情的になりやすい人の精神を強化します。健康面にも。

●●COMMENTS

心を癒してくれる石です。ローズクオーツのようにふわっとした感じではなく力強さがあるので、感情に流されやすい人の気持ちをしっかりさせるときに使うこともあります。世間では、トルマリン=体を癒す石といわれていますが、私たちはむしろ精神面を癒してくれる石のような気がします。もともとトルマリンには血管を拡張する作用があり、それは科学的にも証明されています。実際、お客様の中にもトルマリンを身につけて、上がらなかった右手が上がるようになった人もいます。ただ、世間でいわれているほど健康効果があるかといわれると、「それほどでもないかな」と正直思います。電磁波防止グッズの中にはトルマリンを使った商品が多くありますが、電磁波は360度あらゆる角度から飛んでくるので、どこまで効果があるのか、判断がつかないところです。

波動の特徴

個性の強さ ❤♡♡

波動の性質

女性的　　　　男性的

力強く、しっかりした波動を持つ癒しの石。かといって強烈に自己主張してくるタイプではないので、組み合わせやすい石のひとつ。

身体の癒し

血液
のど・関節・膀胱
肺・目・心臓

トルマリンの原石

トルマリンは結晶の両端にプラスとマイナスが帯電することから「電気石」という和名をもっています。また色によって固有の名前をもち、ピンクの石を「ルベライト」、緑の石を「バーデライト」と呼ぶこともあります。

トルマリン
tourmaline

行動力を高めて元気を与えてくれる

パイライト

pyrite

黄鉄鉱●おうてっこう

石の特徴

強い保護力を持ち危険を回避させてくれるこの石は「火」を象徴します。行動力を高めたいときや不安・恐れを乗り越えたいときのサポート役になってくれることでしょう。弱気になりがちで自己主張できないとき、リーダーシップをとりたいとき、ステップアップしたいとき、新しいことをはじめるとき、想像力を豊かにして社交性をアップしたいとき、目標達成に。ぜんそくの症状の緩和に。

COMMENTS

短期決戦の仕事に。目の前の壁を崩して突破できるようにしてくれます。一時的な目標に使う石。

波動の特徴

個性の強さ ❤❤♡

波動の性質

女性的　男性的

瞬発的な強さを求めたいときに適した波動です。枕の下において眠るとぜんそくの症状が緩和されたという報告もよく聞く石です。

身体の癒し

呼吸器系・気管支
消化器系・胆のう
肝臓・血液

病中病後の身体を癒してくれる

バリスサイト

variscite

バリッシャー石●ばりっしゃーせき

石の特徴

目標や夢に向かって、前向きに、自信をもって自己実現できるよう導いてくれます。金銭感覚や経済観念を養います。頑固さを柔和にさせ、理解力や心の寛容さを養ってくれます。

COMMENTS

健康面、とくに療養中や手術後の癒しに使う石です。精神ではなく肉体に働きかける石です。

波動の特徴

個性の強さ ❤❤❤

波動の性質

女性的　男性的

強い波動を持つ石です。個性が強いので持つ人や、持つ人の状況を選びます。健康面で使うことが多い石です。

身体の癒し

婦人科系
皮膚

Column

知っておきたいほかの石たち 2

～海で誕生したもの～

生命の源である海から生まれた石には、おおらかなエネルギーが宿っています。

コーラル

coral

珊瑚●さんご

悪い波動を崩す力を持っています。潜在能力を開花させて幸せを呼び込みます。自己否定、恐れ、破壊的思考を取り去り内面の美しさを回復させるといわれています。航海安全、不妊、健康、安産、子宝、冷え性や呼吸器系の癒しに。海に関する仕事の人にもおすすめです。汗に弱いので、ピアスやネックレスとして持つことをおすすめします。

シェル

shell

貝●かい

感受性や直感力、想像力、適応性を養います。他人との間に協力し合える関係を作ることができます。優柔不断で決断しにくくなっているとき、子宝に。こちらも汗に弱いので取り扱いには注意が必要です。

パール

pearl

真珠●しんじゅ

自分の痛みを美しい光に変えるため、辛抱強さ、悲しみを喜びに変える希望と強さを与えてくれます。温かさ、優雅さ、美しさ、気品を養ってくれます。ツキを呼ぶ、健康・長寿、安産、子宝に。家内安全などの女性的なソフトな願いごとに使います。生理不順にも。石の波動を中和し、バランスを整えてくれる働きもあります。汗に弱いので注意が必要です。

萎《な》えがちな気持ちを奮い立たせてくれる

ピーターサイト

pietersite

●● 石の特徴

情緒不安定や感情的、パニックにならずに冷静な判断でその場の状況を見極める力を与えてくれます。迷惑なことが周りで起こっていても、集中力を途切れさせせることなく高めていけるよう導いてくれます。

●● COMMENTS

気持ちを奮い立たせたい人に対して使う石です。不思議な石で、つき合いが深まっていくほど強い波動を感じます。目標達成や事業発展に向けて集中力を高めていけるよう、経営者などに使いました。比較的、男性の仕事向きの石です。感覚が敏感で、マイナスエネルギーを受けてしまう場合の魔除けとしても使います。

波動の特徴

個性の強さ ❤❤♡

波動の性質

女性的　　男性的

男性的で、独自の波動は人を選びます。明確な目標に突き進むときにぴったりの、熱さと冷静さの両方を備えた石です。

身体の癒し

呼吸器官

信じる気持ちを取り戻させてくれる

プレナイト

prehnite

葡萄石●ぶどうせき

石の特徴

物事に対して疑心暗鬼になってしまい、つい不安に陥ってしまう人には、真実を見抜く力を与えるので、相手を理解しながら本質を見定める判断力を養うことができます。また根気強さ、首尾一貫した意志を養ってくれます。思考を明晰にし、理性と感情のバランスがとれるようになります。

COMMENTS

人間関係で疑心暗鬼に陥りがちな人をほぐしていくときに使います。強い主張のある石ではないのですが、ないと物足りなさを感じる不思議な存在感があります。人を許す心が欠けているときにも使いますが、ただし石が働くのは、持ち主が「寛容さを身につけたい」と思っているときだけです。

波動の特徴

個性の強さ ♥♡♡

波動の性質

女性的　男性的

やわらかく、いかにも女性的な波動を持っています。おとなしい印象の石ですが、きちんと自分の居場所を見つけて力を発揮します。

身体の癒し

膀胱・脾臓
胆のう・腎臓
胸腺・肩

内なる知恵にアクセスさせてくれる

フローライト

fluorite

蛍石●ほたるいし

●●石の特徴

人生における方向転換の際に「失敗が怖い」、「損をしたくない」という迷いや葛藤を取り除き、冷静で客観的な判断力をもたらしてくれます。未来や先行きに不安を感じたときに、現状を乗り越えていけるアイデアと勇気を与えてくれます。「これ以上は無理」と思ったときに発想の転換とバージョンアップをうながし、さらに向上していけるようにサポートしてくれます。ビジネス上の決断に迫られたときや現状を打破したいとき、知力や集中力、記憶力を高めてくれるため、受験や昇進・資格試験のほか、学習能率アップに役立ちます。精神的な疲労を回復させ、ストレスを取り除いてくれます。安眠効果も期待できます。また人間関係にも。

波動の特徴

個性の強さ ❤♡♡

波動の性質

女性的　　男性的

変化をいとわない軽やかな波動の石です。中性的で持つ人を選ばず、人を癒す穏やかさも持っています。

身体の癒し

皮膚
骨
腎臓

●●COMMENTS

生まれ持った能力をより高めていきたいという、能力開発の願いに対して使用する石です。成績アップを望む学生、研究の精度を高めたい、あるいはさらなるひらめきが欲しいという研究者によく使います。目標を明確にして集中を高めていくために、ゴールドルチルとの組み合わせで使うことが多い石です。分析力、思考力、計算力を高めてくれるので、頭を使う仕事におすすめです。自分を律して物事に取り組んでいく精神性を必要とする人にも向いています。心の癒しにも。

Fluorite

フローライト
fluorite

新たな向上心を引き出してくれる

ペリドット

peridot

橄欖石●かんらんせき

●●石の特徴

問題を解決するよう働きかけるので、仕事や人間関係で壁にぶつかったとき、ネガティブなイメージを取り払い、進むべき道へと導いてくれます。明るさと勇気を与えてくれるので、先の見通しが立たず不安なときに持つと、心が明るくなり向上心が復活します。また自分の過ちを認め、相手も自分も許す心を養います。怒りや我慢からくるストレスに。学業、家庭円満、夫婦和合。新陳代謝の活性化、食欲不振の改善にも。

波動の特徴

個性の強さ ❤♡♡

波動の性質

女性的　男性的

爽やかな波動で持つ人を選びません。どちらかといえば、やさしさよりも強さを感じさせる波動を持っています。

●●COMMENTS

前向きに取り組むなかで「これでいいの」と不安になっている人に使う石です。ネガティブな気持ちを取り除いて、自分を肯定させてくれる石です。

身体の癒し

腰・肝臓
胆のう・皮膚

他人からのマイナスの波動を退ける

マラカイト

malachite

孔雀石●くじゃくせき

●●石の特徴

中傷や嫉妬、いじめから守護してくれます。不安定な情緒や他人から受けるストレスを緩和し、リラックスさせてくれます。持ち主の危険を察知し身を守ってくれる石といわれています。魔除けにも。

●●COMMENTS

職場や学校でのいじめや中傷、妬《ねた》みなどが原因で起こるストレスや緊張で苦しんでいる人に使います。持ち主を守ってくれる石です。汗に弱く、変色しやすいので、持つときは、それを頭に入れておいたほうがいいでしょう。変色しても石の働きに影響はないので心配はありません。

波動の特徴

個性の強さ ❤❤❤

波動の性質

女性的　　　　男性的

個性のある強い波動が特徴です。明確な目的があるときに、一点集中型で持つのに適した石だといえるでしょう。

身体の癒し

婦人科系・脳神経

お互いに歩み寄れる思いやりの石

ムーンストーン

moonstone

月長石●げっちょうせき

石の特徴

「人の感情は月に左右される」といわれるぐらい月と人は密接な関係があります。人の気持ちをサポートしてくれるといわれるこの石は、不安や心配事からくるストレスや情緒不安定を和らげるので穏やかな心境をもたらし、前向きに取り組む姿勢を意識させてくれます。また、直感力や感性を研ぎ澄ませる必要性を感じている人にもおすすめです。深い愛情を示すといわれているので、仕事、恋愛、家庭、友情などの人間関係を円満へと導いてくれるでしょう。男女それぞれお互いを理解しようとする思いやりの心を養わせてくれます。月を象徴する鉱物名から婦人科系、ホルモンバランス、更年期障害など、女性特有の体調を整えるといわれています。恋愛や夫婦の男女間トラブルを冷静にとらえ、お互いにとって最良の判断が下せるよううながしてくれます。キャッツアイ効果のあるムーンストーンは、嫉妬心や邪気からの魔除け、厄除けとして知られています。人見知りやあがり性の改善、安眠、安産、流産防止、子宝、良縁、恋愛成就、新しい仕事の向上、新しい住居、旅行安全、傷心を癒す、家庭円満、家内安全、コミュニケーションにも。

波動の特徴

個性の強さ ♥♥♡

波動の性質

女性的　　　男性的

「癒し」と「鼓舞」の二面性を持っています。女性らしいやさしい波動ですが、恋愛面に関してだけは、強く主張してくる石です。

身体の癒し

皮膚・目・肝臓
膵臓・脾臓・のど
気管支・婦人科系

Moonstone

COMMENTS

恋愛に強い石です。こちらが愛情を持って接すれば、相手にも思いが伝わって、歩み寄れるようにしてくれるので、お互いが引かずケンカが増えてしまうカップルなどに。ただ最終的にお互いに愛情があればの話ですけれど。婦人科系の癒しや、精神的な安定をうながすので、うつ症状にも使います。

ムーンストーンにはオレンジやグレー、またブルーのシラーを発するブルームーンストーン、7色に光るレインボームーンストーンなどがあります。

現実的な目標を支えるユニークな存在

モルダバイト

moldavite

モルダウ石●もるだうせき

●●石の特徴

宇宙から落下してきた隕石とも、巨大隕石が地球に衝突した際に生まれたテクタイトともいわれています。自分自身が気づかずにいたトラウマを解消し、無意識に感じていた不安や恐怖心といったネガティブなエネルギーを取り除き、前向きに歩んでいける勇気と自信を与えてくれます。固定観念や古風な信念から解き放たれるので、真実を見極める目が養えます。金銭的なことや未来への不安を取り除いて、日々を楽しんで進んでいこうとする心境へと導きます。霊的体質のバランス、事業躍進に。

●●COMMENTS

持つ人の成長を願うときに入れていく石です。目標を明確に意識させ、その人の向上心に見合った能力を引き出してくれます。人を選ぶ石ですし、なんとなく使うような軽い石でもありません。具体的な目標や向上心に対して働きかけていくので、理にかなった考え方をする人のほうが相性はいいでしょう。男性的な石ですが、持つ人の性別は問いません。知るほどに魅力が増す石です。

波動の特徴

個性の強さ ❤❤❤

波動の性質

女性的　男性的

男性的でユニークな波動を持つ石。決してナチュラルではありませんが、持ち主の目的意識をしっかりとサポートしてくれます。

身体の癒し

脳・大脳・小脳
脊髄・神経系全般

隕石にあたる石

メテオライト

meteorite

メテオライトとは宇宙から飛来した隕石の1つです。持ち主に精神的にも肉体的にも活力を与えてくれるといわれています。

モルダバイト
moldavite

つらい境遇から幸福に導いてくれる

ラピスラズリ

lapis lazuli

青金石●せいきんせき／瑠璃●るり

●●石の特徴

「幸運を招く石」と呼ばれ、運気が低迷している人に活力が沸き起こるよう導き、幸運を引き寄せる力を与えてくれます。相手を理解しようとする心を養うため人との対立を防ぎ、コミュニケーション能力を発達させ、相手にも自分自身にも幸福、成功をもたらします。思考力、観察力、分析力を強化し、物事を客観的に判断させてくれます。嫉妬心や独占欲が強い心境を癒してくれます。霊的体質のバランス、魔除け、健康・長寿、才能開花に。

●●COMMENTS

ポピュラーですが融通が利かず、一方的なところがあります。持ち主に合わせてくれる石ではないので、「頑張っているのに成果につながらない」という場合に使うようにしています。努力しているのに芽が出ない人の背中を押してくれる石です。試練の中で幸せを見せてくれる存在といえます。

波動の特徴

個性の強さ ❤❤❤

波動の性質

女性的 ―――――――― 男性的

幸運の石として有名ですが、その知名度とは裏腹に、融通が利かない面があるため、持つ人を選ぶ石です。

身体の癒し

呼吸器系・神経系
免疫系・のど
甲状腺・腸・目

自らの可能性に気づく石

ラブラドライト

labradorite

曹灰長石●そうかいちょうせき

●● 石の特徴

隠れた才能に光を与え、能力を最大限に引き出してくれるだけでなく、その能力を根気強く磨き上げることができるので、自信回復へと導いてくれます。怒りやストレスなどのマイナスエネルギーを吸収し、癒す効果があります。失敗や傷つくことを恐れず、感情を自由に表現できるよううながします。転職を求める人、物忘れの多い人、物事を考えすぎの人に。リウマチや痛風を癒します。

●● COMMENTS

就職・転職活動中の人に使います。自分の可能性にスポットライトを当て、進むべき方向性を指し示してくれる石です。仕事関係に向いています。

波動の特徴

個性の強さ ❤ ♡ ♡

波動の性質

女性的　男性的

誰が持っても問題ない汎用性の高い石ですが、波動に独特のクセがあるため、男性に使ったほうが力を発揮します。

身体の癒し

肺

トラウマと向き合わせ根本から癒す

ラリマー（ペクトライト）

larimar

曹灰針石●そうかいしんせき

石の特徴

「比類なき癒しの天然石」として、力強い勇気を与えてくれます。美しい色を持つこの鉱物は、怒りや不安からくるストレスを軽減させ、精神に落ち着きと明快さをもたらしてくれます。苦い思い出や嫌な思いからのトラウマと向き合わせ、積極的に自己改善に取り組むよう意識させます。人間関係で疲れているときには、他人の考えや気持ちを自分の許容範囲内で最大限に受け止めることができるよう導いてくれます。童心のような純粋さや冒険心、好奇心をもたらします。いたわりと思いやりの気持ちを意識させ、良い人間関係を応援します。何事にも感謝する心、素直な心、そして自分と向き合う謙虚さを養うので、すばらしい人生観が培われるでしょう。自己主張が苦手な人、表現や言動が思うように伝えきれない人に勇気と自信を与え、自信をもって意思表示ができるよう応援してくれます。感情のコントロールや冷静な判断、精神や身体の癒し、直感力、やさしさ、愛情表現、寛大な気持ち、妊娠中や手術後の精神安定に。

波動の特徴

個性の強さ ♥♥♡

波動の性質

女性的 ―― 男性的

海を思わせる美しいブルーが、ゆったりした余裕を感じさせます。努力する姿勢を忘れない人に働きかける、力強い癒しの石です。

身体の癒し

腰・背中

膵臓・脳・骨

気管支・婦人科系

COMMENTS

ローズクオーツのようなふんわりとした癒しとラリマーの癒しは違います。自分と向き合って人生を立て直そうとしている人に入れたい石です。基本的には癒しの石なのですが、根本に切り込んでいく強さを備えています。最近は女性からの人気が高く、リクエストされることも多い石です。

ラリマー
larimar

心身のバランスを整え、忍耐力を養う

レピドライト

lepidolite

リシア雲母●りしあうんも

石の特徴

悲しくつらい状況下でも前向きに挑む心境へと導いてくれます。ストレスやうつ状態を軽減させ、精神的に穏やかになるよう導きます。気分屋、短気な人には冷静さと忍耐力を養います。外部からの邪魔をはねのけ、他人に影響されることなく集中できるよう支えてくれます。どのようなことにも立ち向かい、成功する、幸せになる、という自信と勇気を与え前進させてくれます。不眠症に。

COMMENTS

病気で使うことが多い石です。心・体・感情のバランスを整える石なので。血液循環をうながす働きもあります。もの忘れが多い人にも使います。

波動の特徴

個性の強さ ♥♡♡

波動の性質

女性的　男性的

強い存在感がある石ではないので、組み合わせて持つより、単独で持ったほうが、この石ならではの持ち味が生きる石です。

身体の癒し

坐骨神経

大腿神経

肛門・膀胱

女性らしいやさしさへと導いてくれる石

ローズクオーツ

rose quartz

紅水晶●べにすいしょう

石の特徴

無条件の愛と平和を象徴する石です。愛情の本質を考えさせ、人間としての魅力を高めてやさしさと思いやりを意識させるといわれているので、素直に表現したり話したりすることができるようになるでしょう。またポジティブな恋愛観を養い、縁結びや結婚へと導くようサポートしてくれます。女性らしさを意識させ美容や健康に関心を持たせます。突然の離別や予期せぬ事態が起きたとき、そのショックからくるストレスや悲しみの心境を癒します。カップルや夫婦間のトラブルを感情的にではなく、相手の立場になって冷静に思案するよう導き、何がふたりにとって得策で幸せなのか、答えを出せるよううながしてくれます。気持ちを前向きに明るくさせ、何事にも振り回されず、人生を楽しく過ごせるように応援してくれます。現実をあるがままに受け入れられる広い心を養います。肉体や精神を癒して感情をコントロー

波動の特徴

個性の強さ ❤♡♡

波動の性質

女性的　男性的

特定の目的を達成するという力強さはなく、ふんわりとやさしく包んでくれる、思いやりにあふれる波動が持ち味です。

身体の癒し

婦人科系・心臓
皮膚・腸・甲状腺

Rose quartz

ルし、過去のつらい出来事をリセットできるよう支えてくれます。美意識や感性を養います。緊張をほぐしリラックスさせます。家庭円満、家内安全、夫婦円満、良縁、パートナーとの絆、子宝、安産、ホルモンのバランス、更年期障害・痴呆症の緩和や予防、手術後の心身の癒しに。

●●COMMENTS

恋愛の石として有名です。恋人が欲しい、良縁に恵まれるようにという意味で、ほとんどの女性に使う石です。恋愛でも多少、深い話になってきた場合は、この石に本質を改善していくような石を足していきます。あまりにも強い自我があるとか、物事を自分本位で考えるような人には使わない石です。恋愛以外では、エステティシャンや美容師など、人をきれいにしてあげるだけでなく自分も美しくあることが求められる仕事に多く使います。忙しく働く女性に、女性らしさを大切にしてほしい場合にも使います。仕事だけがうまくいっても、女性としての人生も楽しまなければ意味がないと思うので。子宝でも使う石です。アンバーを子宝で使うときは精神的に安定させるためですが、ローズクオーツはホルモン系、婦人科系など健康面でも使います。いずれにせよ、女性がこんなピンクの可愛らしい石を持つことは、いいことなんじゃないかと思います。

やさしい波動は寝室にも

石の中でも「愛」を表す代名詞のようなローズクオーツ。そのやさしく包み込むような波動は、寝室やリビングに置くと、その日の嫌なことを忘れさせ、ささくれだった心を癒してくれます。

ローズクオーツ
rose quartz

ヒーリングストーンの女王

ロードクロサイト(インカローズ)

rhodochrosite/incarose

菱マンガン鉱●りょうまんがんこう

●● 石の特徴

「愛と情熱と思いやり」を象徴するヒーリングストーンの女王。過去のつらい出来事やトラウマから心を癒し、その経験を違う角度から見直す勇気と度胸を与えてくれるといわれています。自尊心を与えてくれるので、失敗を恐れず自信をもって前進するよう応援をしてくれます。相手の考えを尊重し、そして理解しようとする思いやりある前向きな気持ちを養うといわれているため、恋愛、家族、友人、仕事など信頼しあえる人間関係を築かせてくれるでしょう。自分自身を客観視させ、冷静で礼儀ある謙虚な人間性を養ってくれます。「長い人生、いまを大切に明るく元気に生きていこう」をテーマに、楽観的で前向きな人生観へと導いてくれます。感情が邪魔し、判断や決断を下せない心境を大いにバックアップしてくれます。奉仕の心を意識させるといわれているので、「人のため、世のため」に直接関係する仕事や活動をしている人、あるいはこれから目指す人を応援してくれます。向上心、闘争心を与え、目的達成へとうながしてくれます。恋愛成就、縁結び、家庭円満、やさしさ、精神面のサポート、子宝、安産、頭痛、ホルモンのバランス、うつの癒し、がんの癒しに。

波動の特徴

個性の強さ ❤♡♡

波動の性質

女性的　男性的

温かくて懐の深い波動が人間的成長をうながしてくれます。「女王」と呼ぶにふさわしい存在感を放つ石です。

身体の癒し

気管支・肺・目
腸・脳・婦人科系

●● COMMENTS

「元気」がテーマの石ですが、自分の内面と向き合わせてくれる面もあります。単なるトラウマ解消ではなく、過去をとらえ直して自信につながる思考回路を作ってくれる石です。恋愛の悩みで使った人から、「復縁できた」、「彼に気持ちが通じた」という声を聞くことが多い石でもあります。もちろん相手にその気があったからでしょうね。

Rhodochrosite

ロードクロサイト(インカローズ)

rhodochrosite/incarose

恋愛や人間関係を応援する「名脇役」

ロードナイト

rhodonite

薔薇輝石●ばらきせき

●● 石の特徴

人前で自分の気持ちや考えを表に出せず、良く思われようと無理をしすぎてしまいがちなときに自己抑制を取り払ってくれます。相手に嫌われるのではという恐怖心やストレスを軽減し、自分の意見を主張できるよううながしてくれます。愛情を表すといわれるこの石は、人を許す心を養い、良き人間関係を築かせてくれるので、トラブルを回避し円満へと導いてくれるでしょう。恋愛成就、縁結び、恋人同士や夫婦の絆を応援してくれます。積極的な行動を意識させ社交性を培ってくれます。つい思ってもいないことを感情の赴くままに発言、表現して後悔しがちな人には「冷静沈着」をテーマにしてくれます。ホルモンバランスに。

波動の特徴

個性の強さ ❤♡♡

波動の性質

女性的　男性的

一緒に使う石を引き立てる力を持っています。現実に目を向けさせ、行動や言葉で具体的に表現していくことを助けてくれる石です。

身体の癒し

関節・筋肉
婦人科系・骨
聴覚・胃・甲状腺

●● COMMENTS

恋愛に使う石。自己主張できない人にも適しています。表現することを助けてくれる石です。

Column 知っておきたいほかの石たち 3

ここではブレスレットには使用することは少ないものの、一般的によく知られている石をご紹介します。

ルビー

ruby

紅玉●こうぎょく

気高さ、情熱、威厳を感じさせるこの石は、仕事や恋愛において「わがままを自制したい」「弱点を克服して成長したい」と願う人が、自らを戒める意味で持ったとき、無比の存在感を発揮します。自らに暗示をかけ、試練を乗り越えていく勇気を与えてくれます。ホルモン系を癒してくれます。魔除けにも。

ブラッドストーン

bloodstone

血石●けっせき

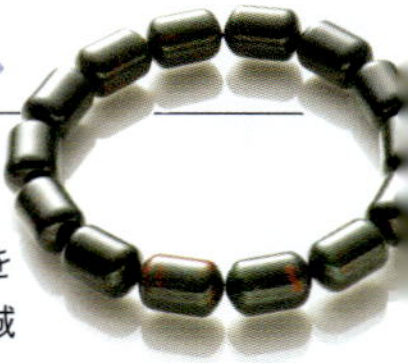

信頼や信用を得るために何をすべきなのかを考えさせ、誠実な人間性を養わせてくれます。気疲れからくるストレスを癒し肉体と精神のバランスを整え、血液に関するすべての病を癒すといわれています。子宝、流産防止、対人関係の改善、高血圧・低血圧・めまいの癒し、クリエーティブな才能の開花に。

第三章

代表的な質問にすべて答えます

石にまつわるQ&A

石を身につけたり、生活に取り入れた直後は
さまざまな疑問にぶつかるようで、
お客様からも多くの質問が寄せられます。
ここでは代表的な質問に対して、
石をめぐる一般的な質問と
愛光堂に関する質問に分けてお答えします。

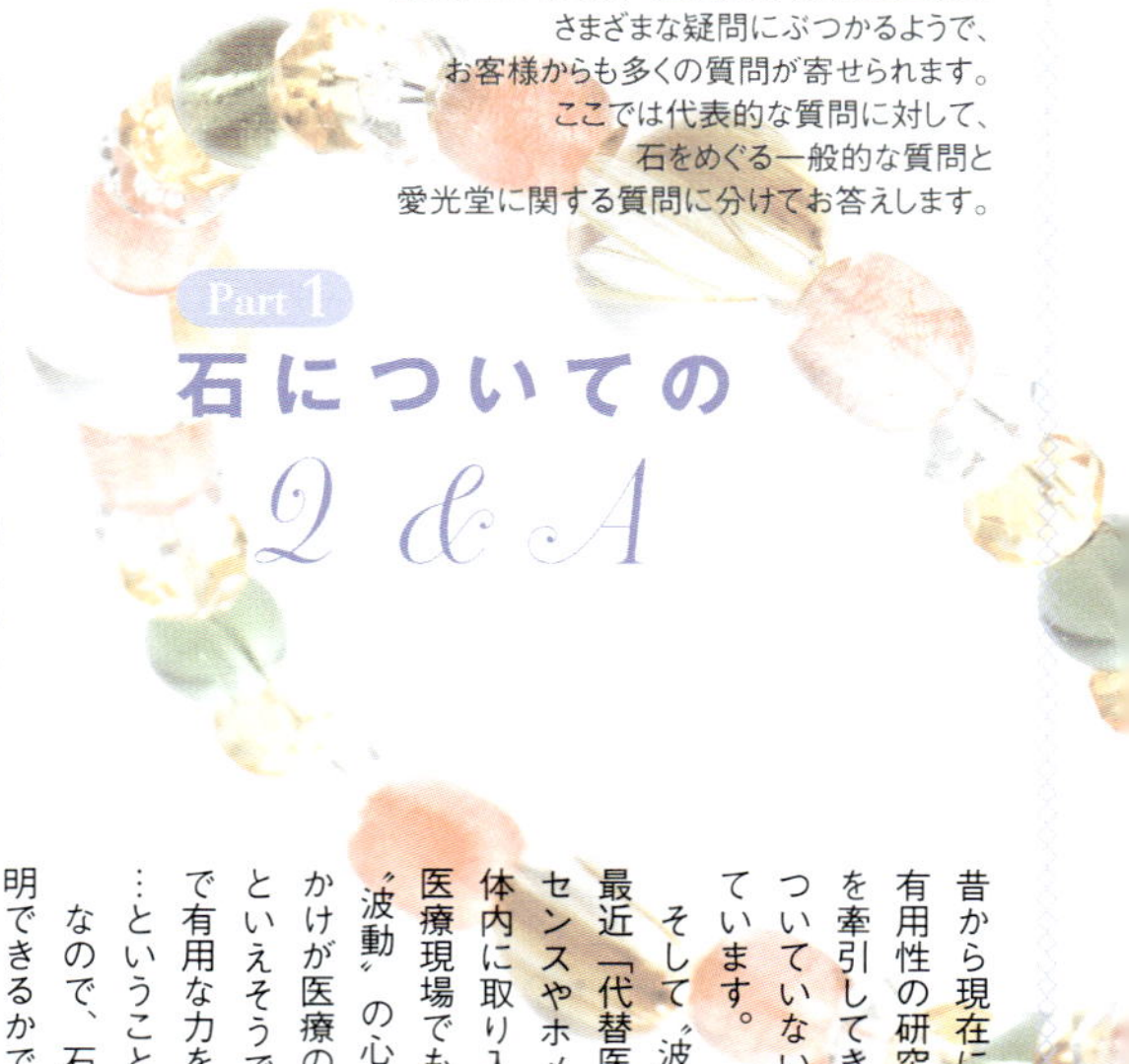

Part 1

石についての Q&A

Q1 物質にはすべて波動があるはずなのに、石だけなぜ特別にパワーが宿るのでしょうか？

A 石に関しては「長い間、地中ではぐくまれたものだから、大地のエネルギーを宿している」などといわれますが、そういった抽象的な解釈は、私自身はピンときません。

むしろ石を「鉱物」としてとらえて、昔から現在に至るまで「鉱物」の分析や有用性の研究が、科学や医療分野の発展を牽引してきたように、人知がまだ追いついていない側面があるのだろうと思っています。

そして〝波動〟という観点からみれば、最近「代替医療」の中でもフラワーエッセンスやホメオパシーなど、〝波動〟を体内に取り入れる療法が、ヨーロッパの医療現場でも導入されています。これは〝波動〟の心理的、身体的側面への働きかけが医療の場でも生かされている実例といえそうですが、そうなると〝波動〟で有用な力を持つのは、石だけではない…ということになりますね(笑)。

なので、石の力や波動についてどう説明できるかですが、第一章で申し上げましたが個人的な推論としては、水と関係しているのではないかという気がします。水は良い波動の中にあると構造がよくなり、悪い波動の中におくと結晶がいびつになるといいます。結局、人間の体の7割は水ですから、石を身につけることで体内の水が活性化されて、細胞のみならず、生命体に宿る〝気〟に働きかけることで、無意識と呼ばれる層にも影響を与えるのではないかと思っています。

店を訪れるお客様の中には「水晶や石を身につけると気分がスッキリする、爽快感がある」という理由でブレスレットをお求めになる人が結構いらっしゃいます。そんなお客様を見ると、体内の水の活性化がそうした感想につながっているのかなと思いますし、〝無意識にも働きかけているのではないか〟と憶測する要因にもなっています。

とはいえ、〝意識する〟という面での力ももちろんあるでしょう。願いをブレスレットという形にして、いつも目に見える状態で身につけることによって、目標に向かう気持ちを忘れないようにしたり、目標へのビジョンを描かせたりという心理的効果もあると思います。

こうした「意識する力」と、「無意識に働きかける力」の両面から、石は働きかけているのだろうと感じます。

いずれにせよ、「こうだ」と断言できる理屈はまだ存在しませんし、憶測の域でしかありません。結局、鉱物は自然が作り上げたものですから、人知を超えた働きをしても不思議ではないと考えるしかないでしょうね。

Q2 自分と相性のいい石
悪い石はありますか?
相性の悪い石を持ってしまった場合、
どんな弊害がありますか?

A 相性はあります。実際に私たちの店などは、持つ人に合った石を選ぶためのお手伝いをしているわけですから。

しかし、たとえ相性が悪い石を持ったからといって、大きな災難に見舞われるといったことはあまり考えられません。きちんとした石の店で購入した場合、考えられるのは、集中できない、頭痛や不眠に見舞われるといった体調不良や、物事のタイミングが合わないなどの不調くらいです。

一方、こうした不調は、本来相性がいい石との間でも、購入した直後、石との波長が噛み合わずに起こる場合もあります。その際は「大丈夫ですよ」とお伝えするなど、ちょっとした一言で解決してしまうケースが大半なのですが。

避けたほうが無難なのは、出所不明な石や信用できない店の石を持つこと、また自然の石を持ち帰るなどです。こうした石の場合、悪夢にうなされ続けたり、病気にかかったとのご報告やご相談を受けることも実際にありましたので。

Q3 一般的に自分自身で石を選ぶときは
「直感で選ぶべき」といわれますが、
自分の直感や判断に自信が持てません。
初心者でも安心な選び方はありますか?

A いままでの経験からすると、人は精神的に弱っているときや石に願をかけたくなるようなときは、個性の強い石や波動にクセのある石に、ついひかれてしまうというケースが多々あるようです。ですから石を選ぶ際は、自分の精神状態を客観的に観察することも必要になるでしょう。

初心者の人や、自分の判断に自信が持てないときには、「やさしい色の石」を選ぶのが一番安全な方法です。色がやさしい石は、一般的に波動が穏やかで、クセがあったり人を選ぶ石は少ないものです。一方、色が濃くて存在感に溢れる石は、見た目どおり個性が強い場合が多く、人を選んだりクセのある波動を持っていますので、私たちも「この人には、この石がしっくりとくる」と感じたときや、霊障を防ぐといった目的以外では、あまり使用しません。

Q4 自分で天然石のビーズを買って、
ブレスレットを作る場合、
注意すべき点があれば教えてください。

A 一般的にブレスレットを作る場合は、使用する石の種類を10種類以内にしたほうが無難でしょう。種類が多すぎると、全体の波動がしっくりとなじむ感じもしませんし、散漫な印象のブレスレットになります。愛光堂でも10種類以上の石を使うことは、まずありませんし、石全体のバランスが大切だと考えているので、基本的に石の総数は偶数にし、左右対称になるように作っています。

ただ、これはあくまでも私たちの感覚であって、お店にいらっしゃるお客様には「明らかにチグハグだな」と感じる組み方のブレスレットをしていても、ご本人はいたって健康でいいことがあったというケースもありますので、最終的には「自分が気に入るように組む」という考えで、いいんじゃないかという気がしています。

Q5 浄化の方法と浄化のタイミングを
教えてください

A

愛光堂でおすすめしている浄化の方法としては、比較的簡単にできる次の3つをご紹介しています。

1 観葉植物の枝や葉に石を掛けてください（毎日でも可）。
2 乾燥させた天然の粗塩の上に石を置いてください（月1～2回程度）。
3 水で洗い流してください（月1～2回程度）。

基本的に、浄化は「石が自然の産物であることを認識して、感謝する気持ちを表す行為」だと考えていますから、「石をいたわろう」「石に感謝しよう」という気持ちのほうが大切です。タイミングも一応、目安として「月1～2回程度」とお話ししていますが、ご自身が「浄化したいと感じたとき」で問題ありません。

これは私の感覚なのですが、植物という〝自然〟と石を触れ合わせると、お互いに共鳴しあい、〝良い気〟を発している感じがします。とくに植物は石を置くと、目に見えて元気になったり枯れたりします。ですから「観葉植物は石の〝充電器〟みたいなものです」とお客様には説明しています。

粗塩に関しては、やはり日本の伝統的な〝お清め〟の方法ですのでおすすめしています。ただし一般的に石は塩分で傷むことが考えられますから、フライパンで炒《い》るなどして、かならず〝乾燥させた〟粗塩を使用してください。また、とくに塩分に弱い石の場合は、石に乾燥させた粗塩を振り掛けたあと、布でふき取るという方法をおすすめしています。

日ごろのお手入れ方法としては、乾いた布でこまめに汗や汚れをふき取り、お風呂やシャワー、または長時間、石が石鹸水に浸かるようなときは外すことをお願いしています。

しかし、上記のいずれに関しても、私たちは店側の人間として、石の品質を長く維持していただくために「ダメージが少ない安全な方法」をおすすめしています。お客様の中には、「早朝、犬が起こしに来るので、その際に朝日に当てるようにしている」という人や「清流を見つけたら、浸すようにしている」人、さまざまなお客様がいらっしゃいます。「石をいたわろう」「石を喜ばせてあげよう」という気持ちがあれば、自分の判断でいろんな浄化法を行えばいいんじゃないかと思います。

Q26 石を買っても効果が出ない、もしくは薄れてきた場合は、浄化やお清めをしたほうがいいですか？

A

石を休ませたり感謝の気持ちを示すという意味で、月に1～2度の浄化をおすすめしています。浄化は石との良い関係を築く手段であったり、日ごろの感謝を示す行為…くらいの気持ちでとらえてもよいかと思います。むしろ、そこに過度にこだわったり、神経質になるお客様を見ると、どこか危うさを感じます。

また、「効果」という形で「プラスをもたらしてくれる」という面ばかりを期待して石とつき合う姿勢にも違和感を覚えます。実際に石をお守りとして身につけることで、本来、降りかかるはずだった災いを回避できたり、何かの身代わりになってくれるという形で働くこともありますから。

石とつき合う気持ちとしては、「効果」と考えるよりも、「自分の意思や努力を後押ししてくれる」とか、「自分の幸せを見守っていてくれる」〝お守り〟のような存在と考えて、大切に扱い感謝して接していくほうが、むしろ良い関係が築けると思います。

Q7 長く持つと効果がなくなるという話を聞きました。実際にはどうなんでしょうか？

A

そういうことはありません。

もし「ある」というのであれば、持ち主が石を自分の「心のバロメーター」としてとらえているからでしょう。石が単なる自分の気持ちを測る測定器みたいになっていれば、「気分が上がった」「下がった」ということで効果をとらえるでしょうし、ブレスレットを作ったころと比べて目的や意識の変化が起こっていれば、「効果がない」と感じることもあるかもしれません。別にそれも悪いことではないと思います。ただ、それが石への依存にならなければいいと思っています。

Q8 石やブレスレットは人に触られると良くないと聞きました。その理由を教えてください。

A

ちょっと触られたくらいでは、石はびくともしないので安心してください。ただし相手が特殊な力がある人だと、かつて私が経験したように自分の体験を読まれてしまうかも知れませんね（笑）。

でも普通の人に触られるぶんには問題ないです。

私たちは沖縄時代に霊能者から「この石に誰かが触ったでしょ」と不快感を示された経験から、万全を期してショーケースに入れて石に触れられないようにしています。

ただ、私の感覚としても「大切なものは懐にしまっておく」くらいの意識は持っていたほうがいいかなと思いますし、〝お守り〟は他人にベタベタと触らせるようなものではないとも思うので、「あまり人に触らせないように」とお伝えすることもありますが、誰かに触られたからといって、石の力が損なわれることはありません。

誰かに触られたことが気になるようでしたら、石を浄化してあげてください。

Q9 石やブレスレットに手をかざすと、何か感じ取ることができるのですか？

A

個人の見解にお任せします。愛光堂のお客様の中には「何かを感じ取れる」という人は多いですし、そのような人々をたくさん知っています。ただ、いずれにせよ個々人の見解ですので、私たちにはなんとも言い表すことができません。ただ、その感じ取ったものが、こちらが聞いたときに思わずその人の思考回路が心配になってしまうほど現実離れした内容のこともありますので、「感じ取れる」という人から自分の石について何か気になるコメントをされた場合、あまり真に受けて心配する必要はありません。

ところで石に手をかざすような行為は、人前では避けたほうがいいと思います。正直言って変です。瞑想できるような環境の中で、ひとりで静かに行ってください。

Q10 石の色が変わってきました。どうしてですか？

A

一時的な変化であれば、持ち主の精神状態がそのように見えさせているだけです。これは毎日、同じ人物写真や人物画を眺めていても、日によって表情が違って見えるというケースと同じような心理現象でしょう。

長期間所有したうえでの色の変化は、物質的要因と考えていいでしょう。

宝飾用や観賞用の鉱物は「天然」と称

するに差し支えない範囲で、ほとんどのものに人為的加工が施されています。また、個々の鉱物独自の性質もあります。それが汗の塩分や水分、身につけていることで起こる振動や衝撃などの外的要因で変色が起こったり、本来あったキズや内部のひび割れが目立ってきたりするのでしょう。いずれにしても変化の原因は科学的に追究可能です。

とはいえ長年、石とつき合ってきた私たちでも、現実的要因だけとは表現しかねるときが、正直あります。おもしろいですね。

Q11 ゴムが切れたりひもが切れたりすることには何か意味がありますか?「身代わりになってくれた」とも聞きます。万が一、切れたときはどうすればいいでしょうか?

A

基本的に意味などはありません。ゴムやひもは身につけていれば磨耗します。劣化すれば切れますし、何かの拍子に切れることもあります。人は迷信に惑わされがちなのでいろいろ考えたくなる気持ちはわかりますが、こういったことをあまりスピリチュアルな意味でとらえるのはやめたほうがいいと思います。しかし最終的には持ち主の感覚的な見解によると思いますし、神秘的な考え方も否定はしません。

その際、物質的、あるいは神秘的にとらえるにしても、どちらにせよプラスの意味で考えたほうがいいと思います。

万が一、ブレスレットが切れた場合は、場所や状況にもよりますが、こぼれ落ちた石を集められるだけ集めてください。ブレスレットという形に再生させるか否かは、ご自身の判断でよいと思います。

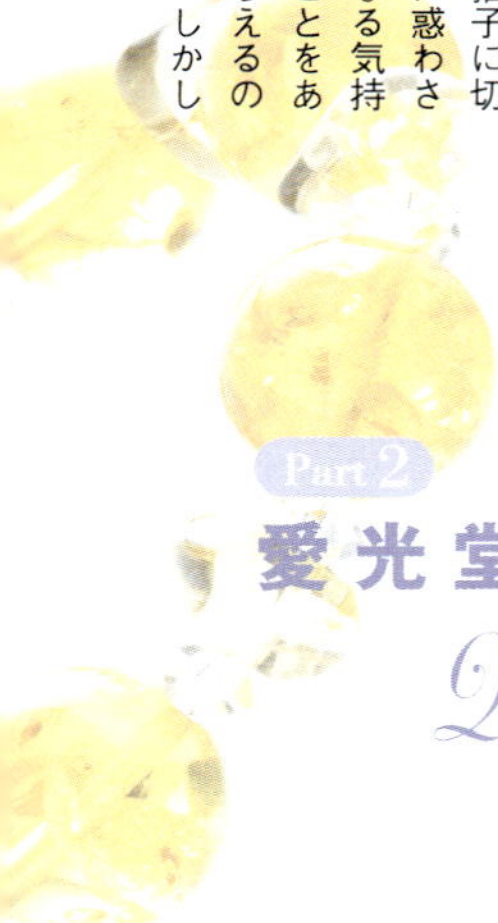

Part 2 愛光堂についてのQ&A

Q1 ブレスレットはどのような流れで作るのでしょうか?

A

まず所定の用紙に名前、住所、生年月日、願いごとの内容を記入していただきます。それから願いごとの内容や石の好みなどをお聞きして、1時間～半日程度(当日の込み具合によって異なります)お時間をいただき、その間に私たちは石を選び、ブレスレットを作ります。そして、お客さまに取りに来ていただいた際、石を選んだ理由などを説明し、納得いただいたうえでご購入…という流れになります。組んだ石をご覧いただいた時点でお気に召さない場合には、石の交換をいたします。またブレスレット自体がお気に召さない場合には、ご購入いただく必要はありません。

Q2 願いごとがいくつもある場合、その中の何番目までを優先させたらいいでしょうか?

A

願いは際限なく言っていただいてかまいません。その中から、こちらのほうで実現可能な範囲に絞り込んでいきます。そして、石を組んだあとには、それぞれの願いごとに対して石を選んだ理由も説明しますので、それで納得いただければ問題ありません。

Q3 **欲しい石と店ですすめられた石が違った場合、どちらを優先させたほうがいいですか？**

A

最終的にはお客様の判断にお任せしています。気に入って身につけていただくのが一番だと思うので。ですから色の好みや、身につけたい石が決まっている場合は、事前にお伝えください。

ただし病気に関する願いごとの際だけは、石の選択は全面的にお任せください。

Q4 **特定の人との恋愛を願って作ったブレスレットは、ほかの人との恋愛には効果がないのでしょうか？**

A

結論から言えば「相手は問わない」ということになります。結局のところ、ご自身の内面に働きかけるブレスレットしか作っていませんから。ただし、これはご本人の問題で、あくまでも特定の相手との、特定の状況をイメージしたブレスレットであれば、もう役目は終わったと感じるかもしれません。それはご自身で判断してください。

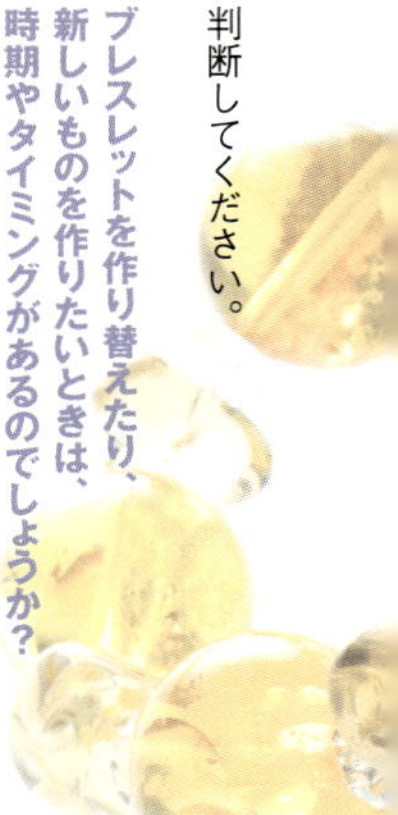

Q5 **ブレスレットを作り替えたり、新しいものを作りたいときは、時期やタイミングがあるのでしょうか？**

A

時期やタイミングというよりも、いま必要かどうかが大切だと思います。

ご自分の判断で問題ありません。

Q6 **愛光堂で作ったブレスレットの石の並びを、自分で変えてしまっても大丈夫ですか？**

A

大丈夫です。

基本的には、こちらが良いと判断した配列で石を組んでいますが、最終的にはご自身が気に入るのが一番いいと思うので。先ほども申し上げましたが、石は偶数で組んでいますから、どう組み直しても一定のバランスは保たれると思います。

Q7 **人にプレゼントしたいのですが、人のブレスレットをオーダーしても大丈夫ですか？**

A

基本的には問題ありません。ただし作る側としては、できるだけ持つ人の心情に合わせていきたいので、書面なり何なりの形で、持つ人の希望がわかるようにしていただけるのがベストです。「金運」「良縁」など、ザックリとした願いごとでオーダーされる場合は、その点を加味した〝お守り〟的なブレスレットを作ることになります。ただし、いずれにしてもブレスレットを持つ人の名前、生年月日は最低限、お知らせください。

Q8 **役目を終えたブレスレットの処理はどうしたらいいですか？**

A

一度願いを託した石は最後まで大切にしてください。

きちんと収納しても構いませんが、玄関や部屋にお守りとして飾ったり、植物のそばに置いておくのもいいでしょう。

持っていたくない、目の前に置きたくないという場合は、ゴムひもをとってから「ありがとうございます」という気持ちを込めて、海や川に流すなどして自然に還してください。

店で石の処理をお引き受けすることは原則的にしておりません。

編集部企画

「どんなブレスレットをオーダーしたの?」「身につけたらどんなことがあったの?」
いろいろ知りたいから教えてもらいました

愛光堂のブレスレット・カタログ

aikoudou's bracelet catalog

石に興味を持つと、つい気になるのが、ほかの人のブレスレット。
もっといっぱい見たいから、カタログにしてご紹介します。
石の取り入れ方、生かし方――参考になるヒントがいっぱいです!

ローズクオーツ、ピンクオパール、アメジストなど優しい色合いのブレスレットは3代目。ゴムが切れるたびに作り替えているそうです。

「望む方向へと仕事の流れが生まれました。体調もよくなり、肌がきれいに」

高橋ミカさん
エステティシャン/
ミッシイ ボーテ主宰

愛光堂さんとは東京に移転してきた頃からのおつき合い。1、2本目は仕事運でオーダーしたところ、自分が思い描いていた方向に仕事の流れをつくることができました。3本目では健康運をお願いしたのですが、生理不順が治って肌もきれいに。いまではサロンにも原石やクラスターを置いて気を浄化。そのせいか観葉植物が元気になりました。

冷静さをうながすブルートパーズが入った3本目。「ブレスの組み替えの際に外した石は、いつもストラップにしてもらっています」

「自分の人生が望みどおりに進んでいく実感があります」

加藤智一さん
美容ジャーナリスト

独立することを迷っていた頃「いずれにせよ最良な人生が歩めるように」と沖縄時代の靖子さんに1本目をオーダー。すると、状況が変化し、美容ジャーナリストとして独立。2本目は変化に対応できるように、3本目は冷静さを保てる石をプラス。つねに地に足が着く感覚が得られています。

相談中に夫の仕事のことを見事に当てられました。夫婦ともども順調です

はやし美穂さん
スタイリスト

予約を入れてから、どんなことをオーダーしようかとずっと考えていたのですが、店頭で用紙に私と夫の生年月日を書き込んだところ、靖子さんに夫のことを指摘され「パートナーの弱点も補えるような」ブレスレットを作ることに。それ以来、夫の仕事も私自身も順調なので、次こそはより自分のためのだけのブレスレットを作るつもりです。

ピンクオパール、ローズクオーツ、アメジスト、水晶に冷静な判断力を培う針入り水晶と、体調面を考慮したミルキーアンバーをプラス。

「強い精神力で前進できるように」と成康さんにオーダー。サンストーン、オレンジカルセドニー、針入り水晶を使ったブレスレット。

強い決断力が備わりスタジオ経営も軌道に乗りました

田中かおりさん
フィットネス インストラクター/
ピラティス スタジオ KAORI主宰

2年前、自分のピラティススタジオを立ち上げるにあたって、「成功の道を歩めるように」とオーダー。経営者、指導者としてやっていけるか不安でしたが、努力に対してつねに石が応えてくれるような安心感があります。現在、スタジオは順調ですが、まだスタートラインに立ったばかりなので、これからもお守りとして大切に持ち続けます。

みごと目標を達成！いまも私を支え続けていてくれます

細田恵美さん
オーラソーマ プラクティショナー

オーラソーマの勉強中、「将来プラクティショナーとして活躍できるように」と注文しました。それから話がトントン拍子に進み、3カ月後にはそれまで勤めていた会社を辞め、プラクティショナーの仕事をはじめることになりました。あれから１年半たちますが、持ち続けることで「私を支えてくれている」という感覚が強まった気がします。

周囲から、いつも「似合ってるね」と褒められるというブレスレットは成康さんにオーダー。カルセドニーを中心としたやさしい色合い。

「悪い流れを変えていきましょう」と成康さんが作ったブレスレットには、ブルーカルセドニー、ストロベリークオーツなどが輝く。

公私にわたって続いた不穏な状況が一気に解決生活も充実しています

竹下美和子さん
百貨店勤務

今年に入って公私ともにトラブルに巻き込まれやすく、心身ともに不安定な状態が続いていました。そこで目標成就・人間関係修復・良縁でオーダーしたところ、なんと2週間で状況が一変。混乱を極めていた人間関係がスッキリ解決してしまいました。生活面も時間に追われる感覚がなくなって、自分の時間を大切に過ごせるようになりました。

ダメもとで出した企画が通るなどラッキーが続発！

伊藤彩子さん　ライター

舞い込む仕事と自分の方向性が噛み合っていなかったので、そのズレを修正するブレスをお願いしました。その際、成康さんに「ご主人は体が弱いから注意して」、「人生を軌道修正する時期かも」と内情を言い当てられタジタジに。つけてから2週間後、ダメもとで出した企画が通ったとの連絡が入り、さっそく石が運んだ縁だと確信しました。

ブルーカルセドニー、ストロベリークオーツなどを使用。「家族を大切にする心も忘れないで」と成康さんがロードナイトをプラス。

ラベンダーヒスイ、インカローズ、ゴールドルチル、シトリンのブレス。「いまはまだ自己実現の途中なので、まだ大切につけています」

納得のいく人生を歩んでいるという手応えを感じています

浅田悦子さん
学生/歯科衛生士

大きな決断をして、自らの力で前進していかなければならないときに、「どのような形であれ、心に決めたことをクリアしていけるように」と靖子さんが作ってくれました。それから2年たちますが、無事、難局を乗り越え、納得のいく人生へと歩み出せました。当時の特別な願いを込めたブレスレットなので、これからも大切にしていきます。

夢への扉が開きつつ
あります。努力を意識
させる大切な存在です

河本淳子さん
レコード会社勤務

望みをすべて託してオーダーしたところ、つけた直後はモテ度も運気も急上昇! けれどすぐ効果が消滅したので「こんなもの?」と思い、身につけなくなりました。けれど「この石は努力しないと働いてくれない」という靖子さんの言葉を思い出し、再度つけることに。いまでは人脈が広がり、スクールに通うなど、夢への扉が開きつつあります。

ラリマー、針入り水晶をメインにローズクオーツ、ゴールドルチル、インカローズ、シトリン、ピンクトルマリン、水晶が輝く豪華さ。

1本目の〝竜〟を生かしたまま組み替えた2本目。ローズクオーツ、インカローズ、アメジストが艶やかな印象。

ここ一番のときに
踏ん張りが利いたのは
この〝竜〟のおかげです

若松正子さん ライター

1本目は06年の秋、仕事運に加え、天運が得られるようにとオーダーしました。天運ということで、なんと竜の彫りが入った水晶を使うことに。そのせいか仕事では「ここ一番」のときに頑張れました。今年に入ってから恋愛をテーマに組み替えてもらったのですが、気持ちが華やいで、精神面でもマイペースが貫けているので、いい感じです。

長く続いたスランプから
抜け出し、やっと目標を
見いだせるように

木村りえこさん
ライター

ある時期から公私ともに、自分が地に足をつけて歩んでいる感触が得られない状態が続き、すべてが空転しているような感覚に陥りました。なんとかそこから脱却できるようにと約1年前にオーダー。いまは、長かったトンネルをようやく抜け、「私はこういうことがしたかったんだ」という目標が見えて、将来の展望が描けるようになりました。

繊細な水晶、ローズクオーツ、ストロベリークオーツと好対照の、「進むべき方向性を示してくれる」針入り水晶の存在感が印象的。

あとがき

じつは、本を出すというお話をいただいた当初は、「石の世界を言葉で表すなんて可能なんだろうか」という思いがよぎり、正直、どのような本になるのか想像すらできませんでした。そもそもマニュアルのない世界ですし、私たちとしても感覚だけを頼りに手を動かしていくことがほとんどですから、それをどうやって言葉にし、お伝えすることができるのか——。

そんな不安を抱えながらのスタートでしたが、多くの方々の助けをお借りしながら、なんとかこうして一冊の本にまとめ上げることができました。

＊

私たちの出身は青い海、青い空で有名な沖縄です。

独自の文化をもつ沖縄には、いま流行りの「スピリチュアル」がいまでも違和感もなく生活の中に宿っています。

物心がついたときから神仏に手を合わせて感謝する行為が当たり前の日々でした。火の神様に家族の健康や幸せを願い、年中行事のたびにお年寄りや母に連れられて、ユタさんたちを引き連れ、拝所《うがんじゅ》（神を拝む場所）に行ったものです。何か問題が起こったり病気にかかるたび、お医者様に行くよりも前にユタさんのところへ行く人も昔は多かったのではないのでしょうか。病気は本来、お医者様に治してもらうべきですし、問題があれば、まずは自分自身を振り返るべきなのに、いつも神仏やご先祖様を理由にしてしまっては、神様も仏様もたまったものではないとは思うのですが、それも人の弱さなのでしょう。

そのようななかで、いつの間にか自然がはぐくんだ石を仕事としていますが、相手は石という「商品」でありながらも、ただの「物」ではないのですから、とても大変です。

そもそも人間は自然に生かされ、助けられ、そして癒されています。その自然の産物であり、自然そのものである石を頼りにやってくるお客様に対して、私たちは適当な対応はできませんし、そのようなことは許されません。「行くべき人のところに行くべき石が届きますように」と祈るような気持ちで仕事をしていますが、石はしゃべってはくれませんし、自ら動いてくれることもないので、毎日が悪戦苦闘です。

正直、「これでいいのだろうか」と思うこともしばしばですが、私たちにできることといえば、心を込めて、そして選んだ石が、その人の人生において何らかのきっかけや、お守りになれば…という思いを込めてお作りすることしかできないのです。

あとは持ち主がお守りとして大事にしてください。そして石に心を与えてください。

そして自分の人生の道標として心を強くして前向きに、そして「石」のサポートをいただいて人生を切り開いていってください。

なにせ石は持ち主のパートナーなのですから。

石に奇跡など期待せず、「見えない世界」にばかりとらわれることなく、現実の世界に生きる私たちは、やはり現実の意味での努力を惜しんではいけません。

未熟な私たちが言うのもおこがましいことですが、人生は苦しくつらいことも絶対に避けては通れず、逃げられないのですから。それを受け入れてなお、幸せになる道を自分で選択して決断して、前に進まなければなりません。

でも、そうやって現実から逃げることなく頑張って努力すれば、幸せへの扉まで、きっと石は導いて後押しをしてくれるはずです。

あとはご自分でその扉のノブをまわしてください。

石はきっと応援してくれますから——。

＊

末筆になりましたが、この本にご協力いただきましたすべての方々に感謝申し上げます。

そしてなによりも、心温まるねぎらいのお言葉をいただき、何度も励ましてくださいましたすべてのお客様に対して、心より感謝とお礼を申し上げます。

最後に、この本を手にとってくださった皆様のご多幸を心より祈念しています。

２００７年　９月吉日

新垣成康　新垣靖子

INDEX 索引 （50音順）

ゾイサイト（ゆう簾石）…… **158**
ソーダライト（方ソーダ石）…… **158**

●● た 行
ターコイズ（トルコ石）…… 114、**159**
ダイオプサイト（透輝石）…… **117**
タイガーズアイ（虎目石）…… 47、**160**、**161**
チベットアゲート（天眼石）…… **112**、126
チャロアイト（チャロ石）…… **162**
トパーズ（黄玉）…… **163**、196
トルマリン（電気石）…… **164**、**165**

●● な 行
ネフライト（軟玉）…… **146**

●● は 行
パープルカルセドニー …… **133**
パール（真珠）…… **167**
パイライト（黄鉄鉱）…… **166**
バリスサイト（バリッシャー石）…… **166**
ピーターサイト …… **168**
ピンクオパール…… （**124**、**125**）196、197
ブラッドストーン（血石）…… **188**
ブルーアンバー …… **122**
ブルーカルセドニー …… 75、132、**133**、198
ブルーレースアゲート …… **110**、111
プレナイト（葡萄石）…… **169**
フローライト（蛍石）…… **170**、**171**
ブロンザイト（古銅輝石）…… **150**
ヘリオドール…… **108**
ペリドット（橄欖石）…… **172**
ホークスアイ（鷹眼石）…… **160**、161
ボツワナアゲート …… **110**、111

●● ま 行
マラカイト（孔雀石）…… **173**
ミルキーアンバー…… 123、197
ムーンストーン（月長石）……128、**174**、**175**
メテオライト …… **176**
モルガナイト…… **108**
モルダバイト（モルダウ石）…… **176**、**177**

●● ら 行
ラピスラズリ（青金石、瑠璃）…… **178**
ラブラドライト（曹灰長石）…… **179**
ラリマー【ペクトライト】（曹灰針石）……**180**、**181**、199
ルビー（紅玉）…… **188**
レインボークオーツ …… **134**
レッドタイガーズアイ…… **160**、161
レピドライト（リシア雲母）…… **182**
ローズクオーツ（紅水晶）…… 17、18、35、78、110、118、128、164、180、**183**、**184**、**185**、196、197、199
ロードクロサイト【インカローズ】（菱マンガン鉱）…… 35、**186**、**187**、198、199
ロードナイト（薔薇輝石）…… **188**、198

Staff

装丁

稲垣絹子(Jupe design)

デザイン

Jupe design

撮影

相沢千冬(Q's)／帯、P.1〜7、P.105〜193、200

井上英祐／P.196〜199、207

編集

金森由利子(美人百花編集部)

校正

校正舎楷の木

*

写真協力

フォトスタジオ&ライブラリー Sea・Breeze/P.8

石協力

愛光堂

自由が丘　愛光堂

店長の新垣成康さんが98年に立ち上げた天然石の店を前身に、99年の7月、妹の靖子さんとともに沖縄市に「愛光堂」を開業。天然石専門店として品質の高い石を取り扱うと同時に、オーダーを受けてから作るブレスレットが話題を呼び、口コミで愛好者が全国に広がる。05年、東京・自由が丘に移転後は、著名人、業界人の支持を受け、メディアでも評判の有名店に。現在は全国から予約が殺到する天然石専門店として注目を集めている。

〒152-0035
東京都目黒区自由が丘1-15-11 寺田ビル 201号室
☎03・3717・0011
完全予約制
http://www.aikoudou.com/

●ブレスレットのオーダーには電話による予約が必要です。詳細はホームページをご覧下さい。営業時間、定休日も随時変更しますので、詳細はホームページでご確認下さい。

人生を変えるパワーストーンの話
愛《あい》光《こう》堂《どう》の石《いし》ものがたり

2007年10月18日　第１刷発行
2022年７月18日　第12刷発行

著　　　者　新垣成康　新垣靖子
発　行　者　角川春樹
発　行　所　株式会社　角川春樹事務所
〒102-0074　東京都千代田区九段南2-1-30
イタリア文化会館ビル5F
電　　　話　03・3263・5881（営業）
03・3263・5306（編集部）
印刷・製本　凸版印刷株式会社

Kadokawa Haruki Corporation
ISBN978-4-7584-1093-9　C0076
http://www.kadokawaharuki.co.jp